上帝是我們的主宰

陳漱意 著

喝下人生的苦杯

陳克華

《上帝是我們的主宰》在本次小說文學獎中堪稱四平八穩之作。故事結構完整、描寫細膩，雖然在題材和視野上沒有太多創意上的發揮，但就人性刻劃的深度和文學技巧的完整性而言，則在同類作品中算是頂尖。

『上』文以一名在美國經營墓園的中國人的現實與回憶爲經，以其追查愛女失蹤被綁的過程爲緯，點出了人存活於世間種種尷尬無解的處境，回憶，性，死亡以及眞相的永無大白之日，更增添了男主人翁的失落與無依感，經由作者大量倒敍及插敍的敍述手法，使得本篇在人的意識層面對『永恆的失落』的追尋意義上，有了極大的發揮，這是本篇在取材與用心上不俗之處。而故事的下半段男主人翁顯然因對愛女的生死思念已達到『被迫害妄想』(Paranoid)的地步，讀來更令人深覺人之『意識』(Consciousness)，之不可靠，一切似幻似眞，孰是事實孰是男主人翁的妄想，眞實與虛幻的分際模糊地帶，正是本篇殊勝之處。

而人生困局的無解，本篇作者加以牧師在喪禮上的習性禱詞用語：『上帝是我們的主宰』的反諷，更加深了做事的深沉與重量：如果將一切苦難歸諸上帝的旨意，人生所有的磨難與困窘皆可以上帝的雙眼來穿透並解釋，那麼或許我們在扛起雙肩上沉甸而無以名狀的人生重擔之時，或也能從如許的信仰當中獲取少量的慰安與勇氣。只是，能嗎？

作者顯然還有保留，而且充滿譏諷。人生的苦杯，上帝只是要人喝下，不曾爲你移走。不曾媚俗，也不給讀者廉價而光明的結局，正是作者可貴之處。

自序

陳漱意

九三年二月，父親在洛杉磯病逝前，我去附近的山上看墳地，回去後，再坐在床前看父親奄奄一息的把頭枕在死神懷裡。從前，總以爲死不知是怎麼搶天呼地的事，父親卻只靜極，一點一點死去，連怨嘆亦無、掙扎亦無，眞是認命至極。

九四年六月中，我動手寫一個跟『生命分裂』有關的故事，七月間在紐約參加一個猶太老先生的喪禮，聽牧師唸，『The Lord is our shepherd.』我立刻決定，這就是我的書名，上帝是我們的牧羊者，不對，上帝沒有那樣仁慈，上帝是我們的主宰。我不是教徒。

《上帝是我們的主宰》從動筆到完稿，正好一年，其間雖然經過搬家、裝修、去一趟葡萄牙，因此停筆四個月，卻未怎麼影響進度，因爲被我極力在書寫的情，脈絡淸晰，容易下筆。

父親晚年多病，致家道中落，卻成爲我不斷創作的泉源，自散文《生死場》，到小說《蝴蝶自由飛》、《上帝是我們的主宰》，我從來沒有這般非寫不可過。然而，我寧願沒有寫過這些文章，換取父親平安健在，只是，眞實的人生，是我無力操控的。

1

今天下午，約好來看墳地的，是梅菲夫婦。前幾天才從電視新聞上，看到他們家中的不幸，梅菲夫婦兩個月前失蹤的十四歲女兒，在公路邊上的樹林裡被發現。正值炎夏，屍體早已腐爛，他們從頭上一個銀蜘蛛的髮夾，和一隻繫茶褐色緞帶的白色舞鞋上，心碎的辨認出，正是他們遍尋不著的女兒。

青谷墓園在紐約北部的半山間，環境清幽，因爲銷售得宜，這兩年面積不斷在擴大，從最初的一畝地、兩畝，到今日視野所及的每一寸山谷，山谷後又一座山谷。

嚴塵到墓園的時候，梅菲夫婦已經等在那裡，梅菲太太脂粉未施的臉上，黑著兩塊眼圈，看起來至少一連兩夜沒有闔過眼，十分憔悴。梅菲先生倒還能強打起精神洽談。他們很快簽定了四個墓穴的墳地，將來除了跟女兒偎依在一起，他們心愛的小狗也要長相廝守。一家人結果總能團聚，是嚴塵銷售墳地，最感安慰的。

走回停車場的路上，東面的墳地，裡頭一群人默默的圍著挖好的坑洞正要落棺，牧師正在加緊誦經，幾隻烏鴉自頭上飛掠而過。梅菲太太停下腳步觀望。太陽已經偏西，微風挾著破碎的經文一波一波遞送過來，『上帝……我們的主宰……The Lord……is our shepherd……』四個大漢把棺木緩緩落進洞穴裡。梅菲太太扭回頭朝前繼續走去。嚴塵跟在後面，到出入口的服務台，跟他們握手告別。爲了對這些悲傷的人，表示一點深摯的情意，嚴塵總是誠誠懇懇的站在那裡，目送他們的車子向下坡駛去，直到背影在山谷的盡頭完全消失，才轉身離開。

嚴塵一轉身，詢問站裡菲力浦立刻探頭出來，交給他一批郵件，嚴塵略翻看，裡面夾一張尋人啓事，『你看過我嗎？』底下一張金髮女孩笑圓臉的照片，嚴塵微皺眉把它翻過，聽菲力浦在旁邊說：『嚴先生，你看那邊，那個男人等著看墳地，我已經把你的名片交給他了。』

嚴塵隨著菲力浦手指的方向望去，是個東方人，正好也朝這邊望過來。嚴塵立刻臉色悲苦的迎過去，伸出手，朝那人試探的用中文自我介紹，『敝姓嚴，講中文？』

男人伸手跟他用力一握，也用中文回答，『我姓詹，麻煩嚴先生帶我看墳地。』

雖然是同胞，嚴塵在這上面跟他們打交道的經驗卻很少，格外小心的翻開仍然捧在懷裡的大本子說：『南面的山坡上，單穴的墳地還有幾個，東面和西面多半是雙穴以上的墳地，已經不剩了。只有靠北的那一面，讓我看看……』他很快翻到正確的頁數上，『唔，北邊，單穴雙穴都有。』

『先看單穴吧。』詹先生略失神的點頭。

嚴塵帶頭走在前面，又經過剛才喪禮的地方，人群正要散去。詹先生跟在後面，『喔』一聲，說：『泥土多半是新翻過的，沒有想到新墳有這麼多。』

嚴塵沒有出聲，只更小心的避免踩到新翻過的墳土上。繞個彎，踩過一座老墳，北邊的墳地，有大半還是空空的草皮，對著山腰的小路，對著陽間的路上流水似的車來車往。詹先生呆望起草皮，默默無言。嚴塵卻臉對著西下的太陽，心裡不由得著急。山谷裡天黑得比較早，他自己是摸熟的路無所謂，可是，像詹先生他們不一樣，天黑前的山路，詹先生眞的比較容易跑。詹先生注意到嚴塵的神色，喃喃說：『這一邊有點荒涼。』

『怎麼會？』嚴塵略吃驚的搖頭，『這裡不久也會統統賣掉，將來就跟那邊一樣。』

『既然還有這麼大空地，我不用趕著買了，我不信眞的有那麼多死人。』詹先生答。嚴塵趕緊推銷，『現在這邊，一個單穴只要兩千八，等賣掉一半以後，就不是這個價錢了。很多人都是預先買下來的。』

『我還是等過一陣再說吧。』詹先生猶豫。而嚴塵的經驗是，推銷到一個程度，就要靜下來觀望，不可緊迫逼人。『這樣吧，請你把電話號碼留下來，我會打電話——』哎呀！犯了中國人的大忌，他一說完就後悔了。

果然，詹先生大聲打斷他，『你絕對不可以打電話給我！我反正知道這個地方，也有你的名片。』說完，點著頭。『這裡環境不錯。』

『好……由你打電話。』嚴塵知趣的退到一邊。這些年來，他已經嘗夠了被隔離，被排擠的滋味，早應當習以爲常。說眞的，如果對調一下位置，換上他，也不願意一個賣墳地的人，老打電話來問他要不要買墳地呀。

山谷已經籠罩在暮色裡，晚風從四面八方鑽過來，嚴塵抬頭，無言的望著山巔，忽聽詹先生說：『是這樣的，我的兒子正在醫院裡等待做換心手術，如果再過三個月，還等不到一顆健康合適的心臟，我會回來。』

『啊，』嚴塵一下心熱，『你們一定會等到換心手術，而且一定手術成功。』

『謝謝。』詹先生伸手跟嚴塵用力一握。這是今天詹先生第二次握他的手，每次都握得很痛，嚴塵差點揉起來。臉上卻仍然做出笑容。他的職業性的笑容，跟一般有所不同，他的笑容是這樣的，眉頭微打結，眼光悲苦的望住對方，兩邊唇角卻輕輕往上挑，挑出兩道笑紋。這副笑容流露無盡的哀憐與慰安，可以使他的顧客們立刻矮下去，變得認命而知足，屢試不爽。

『我做得到的，一定把它做好，其餘只能盡人事，聽天命了。』詹先生果然又說。

『唔。』嚴塵滿意的點頭。

送走詹先生，陰暗的山谷裡，只剩下嚴塵一個人，菲力浦總是時間一到，立刻下班，一分鐘也不多停留。這種人對工作缺少熱誠，而嚴塵正好相反，嚴塵愛這一片墓園，熟悉它每一寸地方，每天帶著大本子翻來翻去，只是故作姿態，因爲不好劈口直言：『北邊還有大片空地，很便宜。』如果賣家對自己的貨色不珍惜，顧客多的是選擇，他們也可以去買玫瑰墓園、橡樹墓園，何以見得非要來跟他成交？可是，嚴塵是一流的推銷員，十年了，他最會做的工作就是推銷墳地。買一塊好墳地，就跟選擇一個好產科醫生一樣重要，嚴塵眞心替死去的人著想。

樹林裡又飛出兩隻烏鴉，呱呱聒噪著，冷不防夾一聲粗啞的哀嚎，沈重的憑空而落。山氣從山谷汩汩的吐出來，一團一團白霧似的影子，足不點地，在山谷裡散步，『噯——』深深嘆息。山氣越來越濃，山谷整個暗下來了，烏鴉猶自在林邊穿飛。下午的新墳上，冉冉升出一道白煙，隱約現出是一個十七、八歲男孩的影子，穿燕尾服打領花，大約從未如此隆重打扮過，顯得不太自在，男孩頭上時髦的留著兩邊剃得發青的短髮，眉心上卻垂著長長一綹髮絲，臉色蒼白的站在墳頭，茫然四顧，眼裡一下湧出淚水。新來的亡魂總是這樣。嚴塵惻然跟男孩擦身而過。又經過幾個穿著長裙，優雅的在散步的婦女，而男人們多半不太快樂，即使壽終正寢的男人，在這裡也顯得鬱悶難安，他們一個個兩眼空洞的，在墓園裡走來走去。

嚴塵撇開他們，走向下坡，頭上突然猛烈的颳起一陣風，他想到昨天氣象預報，今天下午會有一場雷雨。氣象預報也有準確的時候，半空裡這時一片劈響，接著電光石火一閃，大顆大顆的雨點立刻落下來。雨勢來得很急，嚴塵快跑進樹林，濃密的樹葉發揮著擋風避雨的功效，他朝更深的樹林裡跑去。雨漸漸穿透樹葉，沈重的打下來，嚴塵渾身濕透，索性放緩腳步，舐著臉上的雨水。心裡卻悲苦起來，爲了在這樣無星無月的夜裡，在這樣孤零零大雨滂沱的夜裡，被所有的活人遺棄。

2

嚴塵終於快跑進屋，人像一根水柱，人到水到，木板地上長長一片水漬，直淹進浴室。嚴塵扭亮燈，站在浴室裡，把自己剝光，對著長鏡，大毛巾拭身。他的眼光總是先掃向胸肩一帶，仍然殘留曾經是一個好運動員的痕跡，之後，才移向鬆弛的腰身。嚴塵每每眼光靜定巡視自己的肉身，無情的，只有在想到，有一天它們將化爲黃水一灘的時候，左眼下一根筋，才會抽跳一下。然而，上帝是我們的主宰。

是的，上帝是我們的主宰。

一陣風聲，搖動窗戶，半啓的窗縫裡，篩進一片雨水。嚴塵定眼望住油漆剝落的木窗框，已經淹開一道濕暈，風又赫赫搖撼，鑽進來，鑽進他的肌膚，使他的靈魂帶著上沖之勢，在空氣裡浮游，如果回到雨中，要怎麼安慰山谷裡落難的遊魂？他重新感到全身濕透，雨水濕淋淋糊他一頭一臉，使他閉氣。他正在朝山谷的方向奔回去，兩邊肅殺的樹林，挾著雨勢，格外沉重的壓下來，罩得昏天黑地，然而，雨水不停的落著，烏鴉呱呱聒噪著。死亡，是一種完成。他忽然哭笑難分的從喉嚨喊出一聲，一下回過神來。面對鏡中人，迅速用毛巾來回擦著，對面那張臉慢慢熟悉起來。嚴塵這才安心的呼出一口氣，走出浴室，胃裡卻湧起一陣難忍的腹飢，欲轉進臥室的兩腿，於是折進廚房。裸身進廚房，眞正令他感到解放，因爲肆無忌憚，還有做俎上肉險臨臨的快感。像被鋒利的刀口從潔白柔軟的肌膚上劃過，血珠迸出，無聲的迸流出來，他淒涼倒下，褪掉血色冰冷蒼白的臉和四肢，溫柔覆蓋在猶熱的血泊上。感覺出殘存一點生的氣息，接近鼻尖，絲絲縷縷由鮮血傳過來，使他加倍疼惜自己血肉之軀的疼惜著。

嚴塵發現他正站在爐前，手從胸肩上細細撫過，他手心底下他自己仍然生機勃勃的肉體，一切快樂滿足都來自這具肉體，靈魂只引他心碎神傷。嚴塵很小心的用電壺燒水，少掉衣物護體，他很小心的插電插頭，扭電開關，也放水、盛水，任水嘩嘩流著，屋裡一下充滿歡愉的水聲。是山間冷冽的泉水，適飲也宜養顏，水雲說，法國北部的盧爾，所謂的青春之泉，不過借旅店門口一條溪流命名，不如這裡的山泉道地。嚴塵屋裡接的水管，由屋後的山崖引下來。

水雲來的時間一逕是短的，總趁她先生出差的當兒抽空上山，三個小時也許四個小時，像野獸，先是互覷著，再伺機猛撲，把對手狼吞虎嚥，之後的枯竭，總像一次徹底的燃燒過，因此意識到，彼此，才是青春之泉，眞正道地。嚴塵習慣於被情慾衝昏頭似的，在客廳就地解決，有時則預設好，到他的單身臥室裡。總之，不論如何纏綣，嚴塵頭腦足夠淸晰，絕不誤踏入主臥房，算是對阿蓮尊重，主臥房永遠留給名正言順的女主人。做人總要有點義氣，阿蓮說，有義氣做事就不會踰越。

燒滾的一壺水，有兩個用途，半壺冲咖啡，半壺下麵，下麵不愼，殘水濺及他的裸身，他跳開，更小心的蓋鍋，才回臥室披上浴袍。

黑色滾金邊的浴袍，是Laffayatte買來的精品，生平頭一次如此豪華，花三百美元買一件穿不出去的浴袍，只因爲它看起來像很久以前那一件，薇琪老要借去穿，拖在地上小人兒藏在大袍子裡。那件睡袍他卻只花掉兩百元台幣。『爹地，你看到我嗎？看到薇琪嗎？爹地，爹地！』薇琪繞在他腳邊拉他衣角，『爹地，爹地！』有一次聲音竟在窗下門外，嚴塵大吃一驚的奪門出去，原來是上墳獻花的親屬，他精神受到很大震動。

水雲不相信嚴塵做過父親，不相信嚴塵結過婚，『爲什麼不信？我明明告訴妳了。』『是啊，你明明告訴我了，可是那也不比鐵幕牢靠，或者比柏林圍牆牢靠。我就是不信。』水雲撇嘴，『你只不過是不讓我做白日夢，對不對？你不要太自大啊。』

太自大？嚴塵簡直不相信自己的耳朵。水雲不在乎他，還非讓他知道不可？他又如何知道什麼是眞？什麼是假？嚴塵一聲不響的垂下頭，逕自在湯麵裡放足了辣椒醬和醋，水雲倒又像剛才沒有那一段話似的，湊過來勸嚴塵改變一下飲食習慣，『吃食物的原味。』淡味食物自然吃得少，她說，比較合乎健康原則。

『我健不健康妳也在乎？如果妳的白日夢裡沒有我，妳在乎嗎？』嚴塵問，眼光缺乏自信的流動著。

水雲睨他一眼，『你一次又一次跟我談你女兒跟你太太，不爲防我做白日夢是爲什麼？噯，算啦，掃興！已經談到健康的原則……』

『什麼健康原則？』嚴塵略不屑的打斷她，『所謂健康的原則，』嚴塵說，不過是醫學家拿來長自己威風的，其實一個人能夠活幾年，由天生的遺傳基因早就注定，至於『You are what you eat.』不可盡信。譬如病癒總當是醫生治的，怎知道不是遺傳基因的結果？

水雲笑。『你這人無可救藥，等著自癒吧。』

嚴塵忽然拉過她的手，『妳能不能對我好一點？妳能對我多好？』那天也在廚房裡，他就坐在現在的位置上，如此賴皮。

『我喜歡看男人跟我撒嬌。』水雲在他手背上印下一個吻。

嚴塵被逗笑了，只覺心情一逕好，然而也確實知道，他們沒有做夫妻的緣分。他從來不允諾什麼，即使在床上，即使臨上床之前，即使上床之後，他從來不允諾什麼。

水雲且說，『哪些人愛吃辣椒？愛吃口味重的食物？窮國家的人。爲了好下飯，好塡飽肚子。』自問自答著，『日久就變成全民性的飲食習慣，中國、韓國、墨西哥、印度菜是不是都比較夠味？咦，義大利菜呢？也夠味，也窮。』她自己說得哈哈大笑。就這樣，把剛才營造起來一點溫柔浪漫氣氛打散，總是由她下手。也許水雲比他更淸楚，他們有的是什麼樣的緣分。可是，她又愛說：『我要給你做早餐——唔，還是先搬家再說，住在墳場旁邊，嚇煞人！我們搬家吧？嗯？』眞是女人心，海底針。然而，嚴塵自己到底是一個沒有心的人。

吃過麵，嚴塵開始喝咖啡，喝咖啡的大杯子，是水雲在一個工作坊親手做的。浴室裡有水雲留下的髮夾，臥室有水雲的絲巾，到處都有水雲的留痕，到處都是：『水雲，妳實在太踰越，太侵犯人了！有什麼好處嗎？』只不過逼得他要不斷向阿蓮求饒，『水雲是別人的妻，眞的，水雲是別人的妻。』

屋外雨歇下來了，牆下水塘邊傳進來一片青蛙的鼓噪，偶爾叭噠一片水落的聲音，是枝葉終於負荷不了雨水的重量，成串墜落下來。山裡夜深沉。

嚴塵到屋外，山林裡一聲拔尖的鳥啼，穿透夜霧，斜刺而來。蛙鳴倏然而止，靜待幾秒鐘，彷彿確定情況無礙，又齊聲鳴唱起來。他伸手探向黑夜，果然無雨，信步朝前走去。敞開的大門裡洩出一片燈光，映著被雨水冲洗過的碎石路，和空氣裡飄飛的濕霧。鳥啼聲又劃空而過，不知呼喊什麼的呼喊著。嚴塵定下腳步，望住並不寂靜的鬱黑的樹林，樹林深處，一道白霧正對著他的方向移過來，越近越清晰，長身上嬌嫩的孩兒臉，乍見像薇琪，細看卻是阿蓮，待被他一認出，阿蓮亦停下腳步，隔著一段距離跟嚴塵對望，眼光平視，臉上淡極沒有表情。『阿蓮！』嚴塵無聲的喊，趨前一步，霧即散去。嚴塵越過燈影，在黑地裡呆站一會，這才折身進屋，屋裡乾爽而溫暖，他到床上躺下。

他最近老是在想，聽說婚姻和孤獨可以同樣使人長壽，多麼狡猾的廢話！簡直等於什麼也沒有說過。也許有吧，那就是，他注定是一個長壽的人。他躺在床上嘿嘿笑出聲，感覺著心在胸腔裡顫笑的韻律，隱隱牽痛著。『阿蓮，我們不合在一起了。』薇琪失蹤後第三年，他開始猶這樣的話劃分界限。他剛從外州回紐約，美國已經被他踏遍，三年裡，他把公家發出的尋人啓事依樣複印了幾萬份，到處發送，『你看過我嗎？』薇琪憨笑的照片上，大字標題如是問。『你看過我嗎？你看過我嗎……？』來人世一趟，原來只爲玩一場捉迷藏的遊戲。然而，憑空失掉薇琪的家太可怕，『阿蓮，我們不合在一起了。』

『阿蓮，我們不合在一起了。』他在睡夢中發著囈語，窗外『叭噠——』隱約還有水落的聲音。

3

嚴塵回紐約那天，正下著黃梅雨，阿蓮懨懨的揉紅雙眼和鼻頭，正在患花粉熱。嚴塵扭門鎖，推門進去的一剎，阿蓮端一隻玻璃杯，從客廳的沙發上站起來，驚訝已極的望他，『啊，是你……！』

『嚇一跳吧？』嚴塵走進去，放下行李，兩眼打量客廳還是那幾件家具，沒有移動過，只是小桌上多出一張他和薇琪在遊樂場的放大照，兩人手裡各拿著擋住半張臉的棉花糖，鬆鬆軟軟的舐著、笑著，Merry-go-round叮叮噹噹的音樂，慢慢在空氣裡敲開來……敲得滿房皆是，他支離破碎的回憶。『我不要這樣的家！不要！不要這樣的家！』他在心裡狂喊的聲音，幾乎震破自己耳膜。

然而，阿蓮僅放下手裡的玻璃杯，溫柔問：『吃過飯沒？』

嚴塵抹掉額上的汗水，悶頭搖了搖。

『我去給你燒東西吃。』阿蓮說完，轉身要離開。

『不要走！』他攔住，一眼瞥見阿蓮一下漾開一朵酡紅的笑容，於是靦腆的說：『這時候吃晚飯太早了，我的意思是晚飯還沒有吃過。』

阿蓮開始告訴他，附近新開張一家中國餐館，菜不錯，晚飯要去那裡吃，慶祝他回家。可是，薇琪一定死了，再也不會回來了。『那也是她的命。』阿蓮說，口氣淡然，看他的眼光卻森然。

嚴塵一下爆炸開。

『我有沒有說過一句，是妳的錯？我有沒有怪過一句，妳這個粗心大意的母親？沒有，對不對？沒有！所以，妳就不可以說是她的命！』嚴塵用力捶打身邊的沙發，織錦的布面上飛出一片灰塵，他恍惚看見跳蚤、蝨子、蟑螂、老鼠夾在灰塵裡四竄逃命，更加一層氣焰，『妳膽敢再說一次是她的命！哪個混帳王八蛋派下來的命？』那麼，妳的命呢？阿蓮，妳的命呢？嚴塵只差一點沒有問出聲，算是一念之仁。

阿蓮蒼白著臉，淚水汩汩從眼眶裡滾落，嚴塵看到水塘裡的蓮花，是的，水塘裡的蓮花。他以為只有東方才有的蓮花，他在美國看過一次，在南方一家小旅館的池塘裡。

那天晚上，他跟餐館的女侍睡覺，他告訴女侍，忽然非常想念太太，因爲那些池塘裡的蓮花。女侍了解的點頭，賣力的跟他做愛，第二天，還開車替他發送找薇琪的尋人啓事。白人女子眞是心胸寬大，不過，他還是不敢耽擱下去，趁早離開了。以免自陷泥潭。而阿蓮正在垂淚，嚴塵雙手捧起她的臉龐，他小時候曾如此玩過，從水裡撈出一朵蓮花，捧著，看蓮花慢慢在懷裡乾死。

那天晚上，他在床上盡著丈夫的義務，不對，他在床上享受做爲一個大男人的權利，無關精子卵子的結合創造，只是恬不知恥的享受著。他換盡各種姿勢，直到變不出花樣來，『沒有創意！沒有創意！』他暗罵。他永遠在這上面技窮。

嚴塵扭亮燈，看阿蓮下床走向浴室，她肌膚光潔，姿態輕盈，剛才一場歡愛，使她手裡彷彿多出一塊信物，篤定的大敞著門，在裡面放水嘩啦嘩啦沖洗。女人竟這般容易在一個地方生根。他看到家裡的浴缸，幻化成南方那家小旅館門口的池塘，阿蓮身上尤其手肘、膝骨等關節處，長出一根根鬚莖來，越拖越長越強韌。

阿蓮臉上五官可怕的換過位置，回到床上擁被躺下。他坐在床邊一把小沙發裡瞪眼望著阿蓮一邊點煙，慢慢抽起來。阿蓮撐起身，臉對他說：『我想過了，我們需要搬家，換一個環境重新開始。』他眼裡，阿蓮的五官倏然回到原位，臉上於是又柔和起來。

然而，他聽得微楞。他們最好的情況是延續下去，怎麼能夠重新開始？『妳是說時光倒流，回到二十年前妳是處女、我是處男的時代？要不然怎麼重新開始？』

阿蓮張嘴無聲的『啊』看他。半晌，上下牙床慢慢合上，嚴塵知道阿蓮正在咬牙。

『我以為你最清楚什麼叫境由心生。』

嚴塵微笑。想到第一次見面在台北新公園，水池裡大開著蓮花，他正在樹幹上試一把進口的瑞士刀，阿蓮從旁邊經過，停下腳看一會，忽說：『不要用兇刀寫我的名字，你沒有筆嗎？』

嚴塵回頭看她白衫黑裙，『這是妳的名字？』一邊把小刀收鞘。『我們有緣。』

『什麼緣？』阿蓮問。

『天機不可洩露。』嚴塵哪裡知道什麼。只是，這時回想起來，原來他在十八、九歲那樣叛逆的年代，已經信命，只是不自覺而已。還凡事當眞的處處講究有沒有科學根據？『阿蓮，我沒有意思責怪妳什麼。沒有任何人可以隨意謾罵別人，我剛才沒有資格謾罵……。』

『還在想那個啊。』阿蓮失聲笑了。

嚴塵在一片鳥叫聲中醒來，陽光透過沒有窗簾遮掩的窗戶，洩在他身上。他兩手枕頭的靜聽鳥語，發現它們之中，有幾隻鳥兒如果不在吵架，就是很興奮的正在交換著什麼。嚴塵可以從它們聲音的長短抑揚頓挫，辨別鳥們的情緒起伏。自三月開始，他就密切注意起從南方回來的鳥群，到五月初，有一百零五種不同的鳥兒回來了。

他伸手到床邊的小桌上，摸過望遠鏡，望向窗外，對著他的窗是小路後頭，一叢橡樹豐茂的枝葉，藏一窩慣見的麻雀，嘰嘰喳喳正在忙碌著牠們的飲食。突然飛進一隻鵜黃的鳥，踩在輕枝上向裡面張望。嚴塵興奮極的捉緊望遠鏡，仔細看鳥身上淺灰色的翅膀，如果赤眼，就是一種叫Ino很罕見的金絲雀，可是鳥兒背對他朝樹葉裡望兩眼，立刻轉身飛走了。嚴塵翻身起來，跪趴到窗上探頭望出去，連影子都沒有。他丟下望遠鏡起床。

樹林裡霧氣還沒有散盡，一朵一朵在林間翻飛。陽光輕灑在小路上，腳下偶爾有細細的蟲鳴，比較囂張的還是頭上的鳥們。嚴塵穿過一片迎面撲來的霧氣，感覺幾十隻手一起拉扯他、擁抱他，他唇角淡淡的泛開笑紋，繼續朝山谷走去。

4

兩個除草的工人沿著墓園正在低頭工作，嚴塵在出入口伸張兩手微抬，像君臨天下，是的，他放下手，再微抬，對著他的王國。下面響起一片掌聲、歡呼聲。

嚴塵大步走進墓園，到服務台查看記事簿，菲力浦正在電話上聊天，揚手跟他招呼。今天應該有一組工人過來蓋私人祠堂，洋人的祠堂簡單許多，只是把一片家墳用磚頭和水泥圈起來，當中或立耶穌或立聖母雕像，隨意。價錢卻因此格外昂貴，只是裡頭埋多少人，可以不受限制。

菲力浦掛斷電話，走過一邊倒咖啡，端上一杯給他。兩人開始喝咖啡閒話家常，這是他們主僕十年的習慣。菲力浦小時候腦筋受過傷，從來沒有在一個地方工作三個月以上的紀錄，卻替嚴塵看管墳場十年，算是異數。他三十好幾的人，從來沒有過性經驗，父母雙亡後，一直跟他姑媽住在一起。嚴塵有一次出於好奇，哄說約好一個老小姐要介紹給他，菲力浦緊張得一個星期不敢來上班，後來多虧他姑媽開車押他過來，還當場逼嚴塵發毒誓，絕不再起這種壞念頭，菲力浦才肯依。嚴塵想不到居然有這等笨人，雖然覺得無聊，但是菲力浦有他的好處，他是一流的觀鳥專家，某次聽他口沫橫飛談他看到一頭貓頭鷹吞吃麻雀，月黑風高，在一棵白楊樹上，不多的枝葉，貓頭鷹撲殺麻雀後，連骨帶肉帶毛一起吞進肚裡，等過好一會之後，才把不需要的羽毛和骨頭吐出來，並且已經藉反芻的動作把骨和羽毛揉成彈球狀。『骨頭和羽毛有粗纖維的作用，可以幫助消化。』

『你怎麼能看進貓頭鷹的肚子裡？眞會吹牛！』嚴塵笑他。

『多觀察幾次就知道了，要不然牠要那些骨頭羽毛做什麼的？難道是因爲味道好？』菲力浦理直氣壯反問。嚴塵不得不同意。心裡有點納罕，菲力浦在鳥事上，頭腦如此清晰。

『我今天早上看到一隻Ino，』嚴塵捉弄的撒著謊：『一身黃羽毛，一圈淺灰尾巴，兩點紅眼珠，眞是難得一見。』

『我昨天就看過了，我看到兩隻，奇怪，另外一隻哪裡去了？』菲力浦說著，担心起來。

『你也看過了？』嚴塵奚落，『哪一隻鳥兒菲力浦沒有看過啊？』

『對不起，我昨天眞的看過了，有什麼辦法呢？』菲力浦洋洋得意，放下手裡的咖啡走出去，面對樹林，喃喃的唸：『應該兩隻呀，怎麼只剩一隻？另外那隻……』

『不要緊張了，說不定有一隻飛在後面，我沒有看見。』嚴塵大聲打斷他，對著菲力浦胖大的背影出神。

『每天跟一個大白痴在一起，滋味如何？』水雲嘲笑他，在他們之間唯一的一次爭執之後。

『那個大白痴？』嚴塵愚笨的問。

『還有哪一個？』水雲惡意的笑了，『聽說，要認識一個男人，只要看他交往的朋友就行了。你們一副難兄難弟的德行！』

嚴塵一下繃緊臉，熱血往腦上冲，逞這種口舌之快的女人多麼令人生厭！他一言不發。

水雲被他的表情傷到心，飛快的轉身拎過皮包，套上大衣走了。那天是爲什麼來著？

水雲怎麼會說出那樣沒有理性的話！怎麼會！他腦海裡忽然一片空白。

這個世界上最討厭菲力浦的人，大概是水雲。這要怪菲力浦腦袋瓜不靈光。水雲第一次上山跟菲力浦照面，菲力浦把她上下仔細打量過，竟嚷起來，『她不是嚴太太！她不可以代替嚴太太！』水雲當場氣得拿手裡一本雜誌痛打菲力浦，『你要爲你今天的無理付出代價！你要付出代價！你要付出代價！……』嚴麈袖手旁觀菲力浦被打到壁角，直到水雲打累了，自動歇手。兩人從此成爲死對頭。

他不同情菲力浦，笨蛋注定要吃苦頭、注定的。這個世界沒有笨蛋的份。

『嚴先生，你的朋友回來了。』菲力浦忽然笑嘻嘻的回頭。

『啊，水雲！』嚴麈大喜過望，快步走到外面，由下坡一步一步上來的，哪裡是……

他失望極的扭頭瞪菲力浦一眼，這才勉強微笑著，等昨天那位詹先生慢慢走近。

『詹先生這麼早上山。』嚴麈招呼。

『剛才去醫院看過我兒子，車子一彎就到這裡來了，一路聽鳥啼聲開過來。』詹先生開心的說。

嚴塵忘掉剛才的不快，站在那裡跟詹先生聊起來。他發覺這位詹先生很能聊天，天南地北的無所不談，更不漏痕跡的套去嚴塵的身分。嚴塵忽然驚覺詹先生可能是來套交情殺價的，也罷，肯費這麼大勁殺價，就算他不是同胞，也可以讓一點，何況他是、他是到這個山谷看墳地的第一個同胞，風度還出奇的好，沒有一丁點輕視這門行業的意思。

青谷墓園營業第三年，開始進入軌道，嚴塵也希望打進華人社區裡，除了在中文報上登廣告，各種鄉親聚會也熱烈參與，耶誕節的同學會更不能錯過。晚會通知上懇請所有做老闆的同學，捐贈自家公司產品做摸彩禮物，嚴塵沒有合適贈品，特地捐一台電視機。那天摸彩的禮物種類繁多，有機票、各種家用電器、古董字畫、餐劵……『微波爐烤箱，由東亞電器行吳正宣學長捐贈，請各位同學光顧所有捐贈獎品的公司行號，沒有捐禮物的商店不要去光顧啊……有沒有折扣？請大老闆回答……』台下一片歡笑聲。紐約華人圈子，範圍越來越大，生意人早就開始向這個社區下手，嚴塵自忖只能算半個生意人，忽然就有點想要中途而退。那幾年雖然有阿蓮陪伴身側，阿蓮卻一到那種場合就患自閉症，使嚴塵更加意興闌珊。

阿蓮那天穿一件墨綠抽金絲的洋裝，難得有人像她那樣適合綠色調打扮，阿蓮眞是與衆不同。司儀唸到：『電視機一台，嚴塵同學捐贈。請把商號和地點報出來，嚴塵同學！』

嚴塵站起來，提高聲音應道：『本人經營青谷墓園，走十七號公路，一百二十七號出口後有告示牌，絕不會錯過。』

『青谷墓園？墓園？』司儀駭問。

『是的，墓園，』阿蓮坐在下面，平靜的搭腔，『人生最後一站。』她臉色姣白，映著綠衣，竟泛一點青光。

周圍頓時鴉雀無聲。抽到電視機的女眷，嘀咕說要把電視機退還給嚴塵，因爲怕不祥，想了一會，到底還是收下了。

那天，他們開車回山谷，一路批評會場裡的人，一路哈哈大笑，他們之間已經很久沒有這樣和洽過。只是，嚴塵從此打消賣墳地給中國人的念頭。

『我昨天晚上想了一夜，不管我兒子怎樣，我決定給你生意做。我要一塊用牆圍起來的地，你替我挑一塊，我今天就付定金。』詹先生面對墳場，補充說：『我喜歡望見公路。』

『我現在帶你過去看。』嚴塵說。第一個光顧青谷墓園的老中，是詹先生這樣有深度夠水準的人，他覺得十分滿意。

『不用看了，你認爲好就可以。』詹先生說，『我仔細想過了，死亡既然是生命的一部份，從今天起，我用平常心面對它。今天早上在醫院裡看我兒子，心情因此特別平靜。』

嚴塵微點著頭傾聽，猜想詹先生大約六十出頭，如果沒有意外，嚴塵將來的某一天，應當有機會站在這裡參觀詹先生的喪禮。詹先生要的墳地，嚴塵已經在心裡割劃好，剛好從這個方向望過去，就可以看到。詹先生說到做到，立刻掏出支票本付定金。近萬元的交易說大不大，說小亦不小，像詹先生如此瀟灑的顧客，卻不多見，嚴塵的直覺是詹先生有意做朋友。嚴塵把詹先生暗中估量一下，外貌打個七十五分沒有問題，而且言談不俗，夠條件結交。冷血作者楚曼．卡波第個子矮小，但是他在曼哈頓聯合國大樓附近的公寓，只招待明星級人物，只選擇才貌雙全者結交，在卡波第是自負，在嚴塵即是擇善固執。

5

然而，嚴塵的心卻被一個希臘跳船的水手打動過，一個標準大老粗，用一些奇怪的字眼，說著另一個世界裡的故事。二十年前，他的船經過哈德遜河港的時候，他跳船留下。現在沒有人再幹這種事，希臘人都要回希臘去了。水手說，紐約沒有意思，看看那些紐約人，三兩口呑掉一盤午餐，嘴巴一抹又開始幹活去，這種日子哪裡是人過的？生活在希臘很講究的，在希臘的午餐多半是一些起司、一些蔬菜、麵包，要慢慢吃幾個鐘頭，很享受的。美國的日子不好過，每天累得下面那一根都硬不起來。

那天，水雲也在旁邊聽著，嚴塵見她眼裡一下閃過流光，詭笑。

水手第一次到墳場，在兩年前十月裡一個中午，因爲一向靠他照顧的姐姐心臟病發，忽然死去。把水手急得團團轉，從廚房裡匆匆趕來，一身餐館的油煙氣熏人。第三天清晨，棺材就送來了。嚴塵見那個粗胚跪在墳地上，痛哭死亡，即使粗俗的活著、艱難的活著，他亦掏心扒肺在痛哭著死亡。

詹先生沿著墳場周圍的草地走起來，剛才割過的草皮，一片腥香的草汁味，撲鼻而來。艷陽高張下，隔夜雨早就霧散盡。嚴塵看出詹先生一時無意離開，遂陪在旁邊。一隻烏鴉忽從頭上低掠而過，霎時鑽進樹林裡，詹先生眼光尾隨烏鴉，略吃驚的停住腳，『好大的黑鳥！』一聲嗟嘆。嚴塵見他竟不識烏鴉，心裡略惋惜。

『要不要過去喝杯咖啡？』嚴塵問，眼光指向服務台，『裡面有椅子可以坐下。』

詹先生低笑一聲，兩眼望住嚴塵，『我是只要能夠站，一定要站，寧肯站的人，我搭公車從不搶座位。』

嚴塵聽了赫赫笑起來。

『你會錯我的意。』詹先生仍然緊望住嚴塵，『不是有一天要躺下去的問題，我是學考古的，人類高於其他動物，是因爲可以站立跟有大拇指。猴子也可以站立，但是沒有大拇指。』

嚴塵伸右手搖動大拇指，『走吧，去喝杯咖啡，站著喝也可以。』嘴裡說著，心裡暗罵一聲『Stupid!』。忽又想到，詹先生只是賣弄而已，那點破爛知識，除了賣弄，還能有其他用途嗎？臉上遂又笑開來。

他們走回服務台，菲力浦在裡面無事，正好繼續煮咖啡。嚴塵白天幾乎不吃什麼，光把咖啡一杯接一杯的喝，咖啡喝多後總是尿急，他又討厭上廁所，服務台裡的廁所，雖然每星期有清潔工來打掃，嚴塵卻受不了強烈消毒劑的氣味，老使他聯想到停屍間，因此幾次在林邊撒尿。秋冬的傍晚，樹林裡滿暗，嚴塵只好側對墳場，已經憋了很久，一泡尿一時老也撒不完，忽見前方地上升起一個人，被尿濕一綹髮，正在滴答淌水。嚴塵一驚，卻管不住仍自尿個不停，忽然噗笑出聲，地上那廝瞪著他的陽具，竟也笑了。後來他在野地撒尿，總是很小心的背對墳場。這樣想著排泄一事，膀胱立刻充脹起來，『但，不對！這是幻想、是幻想、是幻想。』嚴塵一遍遍告訴自己，他的膀胱於是又騰出一些空位，足夠再裝進兩杯咖啡，到時候，詹先生也該走了。嚴塵已經相好一棵榆樹，等詹先生一走，他就去那裡小便。

詹先生談他想從西安運一個兵馬俑過來，將來好安置在他的墳頭上。『那怕要不少錢。』嚴塵搭訕。『有什麼關係？』詹先生說他最怕被打攪，他相信兵馬俑可以起警戒作用。嚴塵微笑，他很願意相信這些白種的鬼見到兵馬俑，一定會被震懾住。古埃及人的木乃伊，是爲了他們相信靈魂有一天會回來，有一副完好的軀殼等在旁邊，到時候可以使他們立刻復活過來。聰明的古埃及人相信他們的肉體亦如他們的靈魂，同等重要。不靠轉世投胎。只要信仰就好，有信仰必得救。『生命在我，復活也在我，信我的人雖然死了，也必復活。』所以，『人是離不開宗教的，你需要天神的愛。』牧師說。除草工人收拾好工具，開車離開。

嚴塵談他在電視上看到考古學家Bob Brier依古法炮製木乃伊，把屍體開膛剖腹，取出內臟裝進壜子裡，再用魚鈎樣的器具從鼻孔鑽進去抽取腦漿，以免破壞臉部。然後用尼羅河畔特有的鹽沙蓋滿全身，以吸乾水分，之後，捆綁。如此處理過的木乃伊，千年之後，容貌仍然清晰可辨。Bob Brier變成這一個世紀的木乃伊專家，長著一張鬼氣森森的削薄的臉，稀薄的頭髮飛散，至於他製作木乃伊的手，嚴塵怕反胃，不敢細看。有錢的古埃及人葬在尼羅河西岸，日落的方向，所以當埃及人說某人西歸了，也跟中國人一樣是指人死了。嚴塵看完電視立刻到屋外看地形，他住的屋子正好在墳場的西面，但就整個地形而言，卻在南方，既不是日升之處，也非日落的所在，這不要緊吧。那一天到來的時候，他希望有足夠時間把大門鎖上，把每一扇窗關緊，每一頁窗簾都密密垂下。他讀過一篇報導，講一個要求安樂死的年輕女病患，最終的食物是半匙香草冰淇淋和半匙蘋果醬，加上致命的藥丸，然後躺在客廳一張舒適的大沙發裡，等待死亡。那剛好也將是他的選擇。嚴塵這時猛然記起，『那天水雲是怎麼來著？』水雲從一個祕密的小抽屜裡，找到主臥房的鑰匙，強行開門進去，他跟水雲表示過不止一次，那個房間絕不公開、絕不公開！嚴塵夾腳追上前，用力把水雲拉出來，摔到沙發上，『妳想要看什麼？』大聲問，水雲料不到嚴塵竟翻臉，瞪嚴塵一眼，順勢仰天躺下，『我一直不相信你結過婚。』水雲對著屋頂喊，『因爲你看起來像個老光棍！你愛過別人嗎？有人愛過你嗎？不像！』嚴塵覺得不值得吵鬧，水雲卻把他周圍一切，包括他的墳場和菲力浦一概罵盡。

『誰是水雲？』詹先生好奇問。

嚴塵回過神來，依舊自言自語般應，『一個女朋友。已經過去了。』是的，那已經是三個月前的事。

詹先生淡笑，『一個男人不能沒有女朋友，不管他另外有沒有太太。』

嚴塵聽著這樣的話，心裡一陣凄愴，竟滲出淚來。

詹先生卻興致勃勃的兜回木乃伊，嘴裡也學嚴塵似的，低喃著Bob Brier的敍述：

『You are young again, You are alive again, forever.』像符咒，歌頌肉身之不朽。

『長生不老是不可能的，』嚴塵應，『因爲生命有週期性。』他伸手，用指尖把眼角的濕印抹掉。

兩人結果又沿著樹林走起來，樹林裡傳出粗嘎的鳥叫聲，是烏鴉。嚴塵接著卻想到，『說不定不斷的換器官，可以長生不老。』

『哪來的器官？』詹先生站下來問。『我兒子已經等了兩年，打開心動過兩次清理動脈的手術，快要不能繼續等了。』

『啊，Sorry.』嚴塵幾乎無聲的應。

『根據統計，全美國每年有三萬五千人需要器官移植。其中約三千人需要心臟，可是每年有幸做心臟移植手術的，大約只有兩千人。』詹先生說。

嚴塵沉思起來，詹先生的話彷彿觸動他什麼？是什麼？他腦海裡霎時一片空白。嚴塵忽然了悟，他自己其實也患著輕微的自閉症，原以爲阿蓮獨有的症狀，其實一直潛藏在他某一粒基因裡，應當是從他父親那裡得來的。菲力浦有一半猶太血統，平日裡儘管迷糊，一碰到錢財帳目卻絕無失誤，猶太民族之精明，只要略沾寶血，則終生受用無窮。他自己呢，不論好壞，拜他父親那點基因之賜，也的確不停在消受著。

詹先生說他認得一個推銷員，推銷比墳地還要稀奇的東西，專門勸人家簽一種在死後把器官捐贈出來的遺囑。推銷員的成績從來沒有好過，因爲沒有人樂意討論這種問題，尤其東方人，避之唯恐不及。東方人相信輪迴，絕不能使自己在轉世投胎的時候五臟不全。這種種，使器官移植愈發困難。

嚴塵的腦筋從來沒有在器官移植這等大事上停駐過，關於器官移植，怎麼一下在這個夏日清晨灌入這許多？遠超過一個大腦的容量，使乳白的腦汁可怕的滿溢出來。他忽然又撞見那座碩大無朋的——水塔？他在夢裡一次又一次撞見高聳入雲的圓形建築，他怎麼抬頭也望不見尖端。是那年、那個南台灣的暑假、那個管塔人的兒子、他的同學，他們循著旋轉的梯階拾級而上，塔頂無限高，在鬱悶的午後，同學爬在上面呼嘯著，水塔回答。嚴塵漸漸落在下面，望著同學的鞋底畏縮起來，後來，後來不知怎麼回事，他腦筋裡一片空白，只聽見一片慘號在水塔的壁間迴轉。那座叫自由水塔的水塔。他一下撞見那麼多。關於器官移植？關於器官移植，嚴塵說：『如果容許我知道器官將移植給誰，大概比較容易說動我。』所以，器官移植是一件多麼難以達成的壯舉！

『我簽過捐贈器官的同意書，我的汽車牌照上也標明，如果發生意外，同意捐贈器官。可是……你看我這等老朽！』詹先生慚愧一笑，忽停下腳小聲問：『可有洗手間？』

『有啊，有啊。』嚴塵頻點頭。

詹先生走進服務台後，嚴塵逕自朝榆樹下走去。

6

嚴塵熄燈躺在床上，舒展四肢，月光映在他蒼白鬆弛的肌膚上，半垂的眼瞼下望微微起伏的胸膛，窗外鼓噪的蟲鳴鳥啼漸漸在心裡淡化，代之而起的是耳邊隱隱響起的金屬碰擊聲。金屬冰冷的從胸腹上劃過，而後輕微的『剝！』一聲，大串五臟內腑被摘下來高高提起，小心分類後，用冰塊鎮住，它們將被飛車送到兩百哩外、五百哩外、一千哩外另一張手術枱上……而他靜靜躺在涼涼的夜裡，幻想最後鎖好門、拉上窗簾的心願，幻想半匙香草冰淇淋半匙蘋果醬落進……沒有五臟內腑空虛的肚腹裡。原來，哪裡是輪迴的問題，是承受不了那樣眞空的空虛。

嚴塵艱難的呼吸著，喉嚨裡無聲的嘆息。如果他在那個夏日鬱悶的午後，腦漿塗地死去，僅擁有一個小男孩的一生；短促純潔。沒有食之無味的文憑、沒有一切辛苦、沒有性……沒有水雲。他翻身側睡，半張臉埋進枕頭裡，試著想點別的，試著想念水雲，如此想念，使他的鼻尖立刻泛上脂香，糅合酒和玫瑰的氣息。

實在是非常浪漫的，那樣的起頭。四年前的十一月，他受邀去山下的小鎮裡聽音樂會，樂團的團長是嚴塵熟識的愛爾蘭人，好幾年前喪偶，每年總有兩、三次到墳場獻花。嚴塵沒有料到會在小鎮的音樂會裡遇見同胞。水雲那天穿一套黑色連身衣裙坐在台上，大提琴豎在她身邊地上，她合音的部份很少，卻有一小段獨奏。樂曲是當地一個患腦炎死去的高中生寫的，會場氣氛因此十分戲劇性。演奏完畢，全場起立鼓掌，爭相擁抱親吻拭淚。嚴塵擠到前面跟團長握手，又轉身跟拉大提琴的水雲招呼，水雲很不協調的滿面春風，又帶點滿不在乎的勁，逕自指指她自己左腮用中文，說：『你這裡有口紅。』嚴塵啞聲笑著，伸手盲目擦拭。水雲搖搖頭，合併兩指到他臉上擦一回，細看後，又擦一回，這才說一聲：『好了。』也笑起來。

嚴塵撫著臉解釋，『是剛才那些太太小姐們弄的。』

水雲眼睛望住他，兩手開始收拾樂譜，臉上一逕笑著，沒有說什麼。嚴塵等她收拾妥，看她一欠身背起那具比她高，看起來比她重的大提琴，問：『有沒有榮幸代勞？』

水雲頓了一下，回說：『我們先到外面看看，如果我先生沒有來，就請你替我背到停車場。』

嚴塵跟在她後面，隨著漸散的人群走到出口，外面草地上一大棵梧桐樹，落一地葉子，在秋陽裡。

『妳有沒有後悔過，當初不應該學拉大提琴？』嚴塵站在草地上問，『這個樂器實在太大了。』

水雲拍拍裝提琴的黑匣子，抬起下巴說：『無怨無悔。』

黑匣子十分破舊，想必伴隨她很多年了。水雲在小鎮住了六年，臨時被拉來參加鎮上這個義演的樂團。因爲她先生關於由腦波測知疾病來源的研究，前兩年收到一筆捐款，使她不必出去到處打工。她過去經常去餐廳表演，也做帶位，『還去紐約替人家蹓過狗呢，很好玩的，有一次拉十條狼狗，穿過公園大道、梅迪遜大道，再浩浩蕩蕩過第五街到中央公園大便，好壯觀，光是狗屎就撿了一大袋。』

兩個人大笑一場。

『我先生一定不會來了，他又忘了。』水雲忽然望著草皮後面的石板路嘆氣。

『沒有關係啊，我可以送妳回去。』

『你送我到停車場那邊就可以了，那裡可以叫到計程車。』水雲說。

嚴塵背起她的提琴，『我送妳回去。』

把提琴放進車裡，他們卻去街上一家小店喝咖啡。嚴塵第一次注意到這鎮上種不少梧桐樹，秋天的午後，街邊捲著梧桐葉，不多的車子，不多的人，商家在週末多半沒有營業，走在其間眞是悠閒。兩個剛認得的人，新鮮好奇，一路說著話，互相吸引著。

在小店臨窗的空位坐下，等咖啡和甜點。水雲不知第幾次的如此問：『你再說一次，做什麼生意？』極力忍住笑。嚴塵陪她玩著遊戲，正起臉色唸：

『本人經營青谷墓園，走十七號公路，一百二十七號出口……』

水雲又放聲大笑，捉過餐紙拭眼角，一下抬起雙眼，說：『年紀大的人哭的時候沒有眼淚，笑的時候才有眼淚。我最近也變成年紀大的人。』

嚴塵看她四十出頭，還不能算年紀大，但是，也相去不遠。遂沒有言語。

『我一定要去參觀青谷墓園。』水雲端起剛送上來的咖啡啜了一口。

『隨時歡迎。』嚴塵說。

嚴塵翻身面對屋頂，窗下傳過來呱呱呱青蛙的鼓噪，和不遠處的樹叢裡，鳥忽然拍翅，撥動一片枝葉劈劈啪啪響，隨著一聲長啼，撲向另一片樹林。不知怎麼，他覺得那是一隻公鳥，正辦完傳宗接代的大事，揚長而去。

那一次水雲來山谷，在深夜，嚴塵已經熄灯上床，這些年，即使阿蓮在的那些年，他亦過得像苦行僧，晚上十點的電視新聞過後，就表示一天的活動結束了。他多半的時候，可以立刻沉沉睡去，天亮醒來自瀆一番後再開始上班。偶爾的失眠，才是最不堪的痛苦，是一種水深火熱的煎熬，眼看層層慾望自深不見底的深淵，掙扎著冒出來，卻沒有出口，亦無處停留，最後雖然總也藉一陣手淫解決，然而，他要的不僅是這樣的虛妄，這一點再清楚明白不過，無法自欺。他絕對是一個健康的人。

水雲披頭散髮，像一個厲鬼出現在門口，嚴塵讓進她，水雲逕自走進屋內，嘴裡滔滔說：『我一直都知道不應該跟你老是見面，不應該做朋友。可是一直也不甘心放手，總想著，一定有一天用得著，現在就用上了。』她站住，回過頭面對嚴塵，可憐兮兮的說：『我心情很壞，我需要有人聊天。』

嚴塵一言不發，到客廳給她倒半杯琴酒，水雲接過，望一眼長桌上瓶瓶罐罐的飲料，逕自打開一罐酸梅汁對一些進酒裡，一邊說：『我不愛喝酒，一向只拿酒當安眠藥。』

嚴塵坐進沙發裡，看水雲站著喝下半杯雞尾酒後，在另一張沙發上坐下，慢慢把剩下的半杯喝掉，閉起眼，垂頭對著空酒杯入定。嚴塵看見一群酒蟲，正順著她的喉管經過胸腔，向小腹下盲目亂鑽，兀自訝異著。水雲微睜起眼，問：『你剛才已經睡下了嗎？』

嚴塵點頭。

『你一個人睡一張床有多久了？』水雲放下酒杯問，臉上淡無表情。

嚴塵想了一會，應道：『好一陣了。』

『那不是太苦了嗎？』水雲喃喃說著，站起來，『臥室在哪裡？』向裡屋走去。經過嚴塵剛才睡覺的房間，從敞開的門裡望見凌亂的枕褥，水雲彷彿被磁石吸引住似的對著床邊走去，自己褪下衣服，嚴塵站到她身後，撩開她的長髮，低頭吻她頸後香膩柔軟的髮根處。水雲回過臉，兩手扳住嚴塵的肩，踮起腳回吻他。

7

月光比前清亮，照著大半張床，水雲把臉頰偎在嚴塵肩頭躺著，長髮瀉了一枕，兩個人許久沒有動靜，屋裡滿滿的蟲鳴聲、蛙聲，和枝葉撥動的沙沙聲，偶爾夾一兩聲尾音拖得極長的鳥啼。

『樹林裡原來這麼吵。』水雲說。

『妳可以睡嗎？』嚴塵問。

『我不捨得睡。』水雲說著，微仰起臉向著月光，『你每天晚上這樣蓋在月光裡睡到天亮，蓋在身上的月光什麼時候變成日光，你知不知道？』

嚴塵微笑，幻想身上暖洋洋，卻有涼風從髮間細細拂過。『如果有一大片草皮，躺在上面露宿一夜，一定不錯，當然，需要是一對情侶。』

水雲聽得沉默下來，不知過了多久，嚴塵見她老是不說話，因問：『爲什麼不說話了？』

水雲拉過嚴塵的手蓋在臉上，『啊！』嚴塵一隻手撐起來，望著水雲淚痕狼藉的臉，伸手挑開上面幾根髮絲，在她頭上撫摸著。『我常常幻想怎麼離家出走，可是從來沒有想過用這種方式背叛婚姻。』水雲說著，張頭四處找什麼的找，嚴塵立刻把床頭一盒衛生紙遞給她。

『我現在要用力擤鼻涕，讓你聽不見外面那些臭蟲。眞是吵得過份。』水雲破涕爲笑，從床上坐起來。

嚴塵見她瞬間哭笑無常，心裡只覺難過，好一會，才終於問：『妳爲什麼三更半夜跑出來？』

『我正奇怪你怎麼還不問呢。』水雲說，重新躺下，卻背對嚴塵，嘴裡飛快的說：『我先生不相信我沒有背著他跟別人上床。他咬定男人的事業一垮，太太一定第一個跑，像Delorean和Trump都是例子。』

嚴塵一下閉氣，眼前浮現一個戴眼鏡的中年男人，頭髮灰白倒豎，襯衫領口拉開，捻熄煙頭，兩手一下插進頭髮裡，一下插進西裝褲口袋裡，在實驗室裡焦躁的來回走動，嘴裡流水似的咒罵……老婆？『像Delorean和Trump都是很英雄的人呢，照樣難逃惡運。我會比他們運氣好嗎？不要唬人了。』

想到這裡，嚴塵小心的問：『妳不是說你們這幾年不錯？』

『是呀，前幾年募到一點錢哪裡夠？他那個研究顯然不行，根本沒有人肯繼續支持他。』水雲說著又坐起來，兩手抱膝，把臉頰枕在上面，卻只見流瀉的黑髮，光裸的背脊呈半弧狀，看上去水溶溶的，竟像月光的一部份。『他好可憐，我相信人有命。』水雲垂著頭嘀咕，『想想看，如果他當年選擇的是一個，譬如怎麼使牛羊雞鴨在最短時間裡長得又肥又大，做研究的題材，現在一定成功了發財了，可是他好可憐，一頭鑽進什麼腦波測知疾病來源，臨老才發現一生心血都泡湯了。』水雲嘆息，伸手攏住頭髮摸黑下床。

嚴塵見她藉一點月光一件一件把衣服穿回去，遂跟著起床，望一眼床頭的鐘，三點，所以剛才跟水雲在床上的時間差不多是兩個鐘頭，眞是，一生奢侈莫甚於此，『水雲。』他喃喃的叫她。

水雲回頭看他一眼，微笑。

嚴塵送她到屋外，那夜滿乾爽，但是樹林彼端的山谷，仍然飛著濕霧，對著樹林欲進還退，濕霧裡是嚴塵熟悉的臉，阿蓮微掩映著，隔著橡樹、楓樹、榆樹、松樹、白楊樹……朝他們望過來。水雲的車子開出去的時候，嚴塵看見濕霧自車邊飛散。

嚴塵一隻耳朵壓在鴨絨枕上，好像枕在肥鴨雪白的腹部，奇異的光滑柔軟，深藏的鴨絨裡面卻傳上來輕微的嗶剝聲，是水雲的車輪自落葉上輾過。他在好多個夜間等待那點聲音，漸近漸清晰，終於到門口戛然而止，然後，代之而起的腳步聲。

『到床上好不好？』耳鬢廝磨裡，兩人互相徵詢著。

『我們兩個人一起做這件事最好，原來怎麼想不到還可以是這樣？』水雲在枕上咕噥著說，手揉捏著他一隻耳葉，『換上別人不行。任何其他人都不行！』忽然停下手的動作，撐起上半身問，『你可以嗎？』

嚴塵一楞，立刻接口：『只跟妳。』

水雲看他一眼，頹然躺回枕上。『你不是我的，我知道你不是我的，可是，誰又是誰的呢？』

嚴塵忽然無法繼續往下想。

他翻身下床，摸過睡袍披上，光腳丫到客廳倒小半杯威士忌，大口吞盡，他的大腦細胞活躍得讓他心悸，像放上一把火，烈焰當頭，正在燃燒，他再倒半杯澆下去、澆熄。這才回到屋裡，面對一床月光，竟有點吃驚。他靠在窗口，望著鬱黑的樹林裡浮出一張雲裡霧裡似的面容，和拖得極長的圖畫似的手腳，嚴塵待要細看，一下卻感覺到酒氣正循著血液迅速向全身擴散，他眼前於是模糊起來，腦海裡忽像靈光一閃，有一剎間奇異的清晰，他不知道天亮後水雲會不會來？或者今夜、後半夜，水雲會不會來？也許他應該主動找水雲，爲什麼要躺在這裡等待？要又一次證明他天生是一個往後縮的人，是的，他是一個往後縮的人……

嚴塵在客廳的沙發上醒來，頭痛著，他知道是昨夜喝下的劣質酒精所致。那瓶威士忌，嚴塵記得十二塊錢買的，他聽說要二十塊錢以上一瓶的酒才能喝，區區八塊錢之別，引起的頭痛卻十分難忍。他沒有存心要省那八塊錢，可是有時候就是會這樣，好酒劣酒一起抱回家。

有一次聽水雲談到，她的科學家丈夫，有一陣子天天喝得爛醉，水雲一怒之下，把家裡大瓶小瓶酒統統倒進水槽裡。水雲雖然隻字未提，她丈夫到處找不到酒後，終於在廚房嗅出酒氣，嗅著，嗅著，就嗅到水槽上了……而嚴塵連一瓶廉價酒都不捨得倒棄。也許，水雲才敢於大刀闊斧，也許，只要下山找水雲，就不必再自怨自艾了。

可是，他這一天有點忙碌，早上有三家人約好來看墳地，下午另外還有一家，每一家嚴塵都要把握住，一個也不能讓他們脫逃。青谷墓園的環境一級好，加上他的一流推銷術，再加上一個菲力浦木訥的看墳人，和一組在旁邊埋頭工作的園丁，這樣的陣容，要它不吸引顧客都難。但是，條件雖好，還是要步步爲營，一點不能掉以輕心。每種生意都需要全力以赴，他絕對不相信有不勞而獲的事，也許有吧，那種錢讓別人去賺。阿蓮想的那一套，把墳場丟給菲力浦經營，眞是天眞！『阿蓮，妳要做什麼儘管去做，我對現在的工作很滿意，絕不再改行。』聽他這樣說，阿蓮跟著會怎麼想，他懶得操心。

『妳知道我愛泥土。』那時候，他正好看完一篇報導，講人類吃泥土的文化由來已久，人類吃土主要是爲醫病，吃土可以解毒。醫學實驗證明，老鼠因爲吃的東西複雜，吃下土可以在胃裡造成一層膜，使它們少吸收毒素。歐洲與中國在中古時代吃土，當時因飢餓亂吃東西之後，發現吃土可以解毒。南美的印第安人吃很多洋芋，那種野洋芋多吃後會中毒，而吃土就可以解那種毒。非洲人吃土，因泥土裡面有一些礦物質，是他們的食物裡沒有的。長頸鹿、熊、浣熊、斑馬、大象都吃一點泥土，也是爲了從中吸收礦物質。猴子會選定一個地方吃土，因那個特定地點的土有醫藥作用。同樣的，奈及利亞的土有鈣質，可以幫助小孩成長，西非的土有防止瀉肚的化學品在裡面。不過，吃土主要是婦女，因懷孕期間吃土可以防止嘔吐，百分之三十到百分之五十的非洲婦女，都在懷孕期間吃土。美國南部也有人吃土，因吃下去有時可以幫助消化。那些吃土的多半是黑人，是黑奴時代帶過來的習慣。他們多半挖公路兩邊的黏土，用醋和鹽拌勻後食用，北方的親戚會請他們捎一些過來。美國政府爲此特地在公路邊上豎警語，制止當地人繼續挖土破壞公路。依人類的經驗看來，吃土並無害處，但多吃會消化不良，葡萄牙、埃及、伊朗、土耳其和其他中東國家，吃土後鋅不足、性能力發育遲緩、肝臟腫大，這些是因爲一天吃好幾杯泥土才造成的。原來，『吾道不孤！』嚴塵高興的唸，他雖然沒有吃土的癖性，卻一向深愛泥土，如今既然知道泥土是可以吃的，要他吃土亦無困難。『阿蓮，泥土是可以吃的，紐約時報的報導，不是雜牌消息，非洲黑人把泥土做成顆粒狀，烤過後發送各地，有人把泥土跟麵粉揉在一起，做麵包食用。所以，泥土是可以吃的！泥土是可以吃的！』那麼，賣墳地不就是賣泥土嗎？不就是賣一種食物嗎？『阿蓮，賣墳地就是賣一種食物，聽到沒有？』

8

不曉得從什麼時候開始，阿蓮變得恥於做墓園的老闆娘，『我告訴過妳一百遍，妳先生在經營一種食品生意，妳只要如此告訴別人就可以了。』是呀，話本來就是可以這樣講的，一般人多半不會深問，果眞深問起來，把紐約時報那篇報導出示給他們看，有憑有據，『別人絕不能怪妳欺騙撒謊！』嚴塵滔滔說完，意猶未足，再提著氣繼續發話，『我早就說過，我們不合在一起了，現在還是同樣的話，妳請便吧，妳可以去嫁一個眞正做食品生意的丈夫，再生他隨便多少女兒，這次絕對不會有任何一名女兒平白無故消失。請便吧，阿蓮。』他是這般奉行先下手爲強的信念。

阿蓮那幾年在山裡採藥，藥種搜集多了之後，她在山下開著一家小店，除了賣天然草藥，也兼賣她巧手精製的工藝品，生意不惡。嚴塵想起來了，是有了那家小店後，阿蓮的態度才轉變的。

阿蓮變得經常單獨出門，怕嚴塵起疑，每次不忘把大串名字唸出來，『只是大夥人一起吃飯，沒什麼意思的，我是沒有辦法，不去不好意思，他們都是我的好顧客嘛。他們其實也請你參加的，可是，我告訴他們你對這一類聚會沒有興趣。』阿蓮說著挽起他一隻臂膀，半閉起眼，一手比劃著，『我告訴他們，我的丈夫是一個孤獨的、搞創作的人，是一個眞正的藝術家。』

嚴塵聽得出神，頻頻點頭。他很喜歡聽阿蓮那樣說著話，阿蓮看起來眞是性感，雖然那一點燃不起他的性慾。可是，跟阿蓮在一起實在舒適，只要不做愛就好，眞的，只要不做愛就好。

然而，嚴塵內心裡還是有點恨阿蓮輕視他的行業，那等於輕視他，也就是有意跟他劃清界限。要劃清界限理應由男人出手，怎麼可以由汝輩女子小人發動？

水雲在這上頭，可愛多了，眞正可愛，因爲出於眞心。『我們有緣，你賣墳地，我呢，我是這個世界上最愛讀訃聞的人。』水雲哈哈笑著，跟著告訴嚴塵，最近死去的人裡面，一生活得最富足卻最不快樂的是桃樂絲·杜克，死時八十歲，是菸草大王唯一的繼承人，她父親在北卡創辦杜克大學，辦公室裡的香煙可以隨意取，不收分文。杜克小姐長得高大醜陋，曾經結過兩次婚，沒有子女。她死後把財產統統捐給慈善機構。杜克小姐說她這一生受金錢拖累，使她沒有眞愛，因爲每一個接近她的人，她都懷疑是爲了她的錢。但是杜克小姐也並不一味的神經質，馬可仕夫婦流亡美國，美政府起訴他們貪汚，杜克小姐以五百萬保釋他們，因馬可仕夫婦曾經是她的好友，她就可以如此義氣。『我從訃聞裡面看到很多風華絕代的人，死後風流雲散的故事，眞是豐富精采，眞是——』水雲頓了一下，挑選字眼，『淒艷。可是很奇怪，這麼好看的訃聞版，我從來沒有遇過同好。你這個賣墳地的人，也看訃聞嗎？』

嚴塵接下她的話，說：『桃樂絲·杜克流產一次，五十多歲時收養一個女兒，那個女兒當時已經二十好幾，兩個人處得並不好。所以桃樂絲在遺囑上把她除名。』

水雲笑，『可惜你不會在訃聞版上看到我的消息。』水雲說她連地方小報的訃聞版都擠不上，但是嚴塵不同，『這麼大墓園的老闆翹辮子，他們一定會記一筆，可惜他們一定把我們兩人這一段漏掉，漏掉這麼重要的一段，我們的人生多麼枯燥無味啊。』

『我可以叫菲力浦告訴他們。』嚴塵安慰。

水雲偏頭想了一會，問：『你要怎麼告訴菲力浦？』

嚴塵手撫著下巴，慢呑呑的唸：『嚴塵愛水雲，至死不渝。』

水雲露齒一笑，『你怎麼可能愛一個人那麼久？』

嚴塵想到阿蓮，於是沉默下來。水雲看在眼裡，忽扭轉頭，嚴塵不確定有沒有聽見水雲嘆息，大概有吧，然而，嚴塵自己到底是沒有心的人。

山谷在下午三點之後漸漸轉涼，園丁正在墓園的一角修剪玫瑰花枝，嚴塵送走顧客轉身朝服務台走去，兩眼望著山巔，一層樹影已經暗下來，樹影正在一點一點的走下山坡，再過一個鐘頭，就會移到谷地了。

菲力浦不在服務台裡，嚴塵知道他又溜到山上看鳥去了，嚴塵到裡面撥電話給水雲，鈴響很久，一直沒有人接，嚴塵放下電話，心想不在也好，把水雲找回來能證明什麼呢？證明他還有熱情？證明他積極進取？想到這裡，他一下乾笑出聲。順勢走到辦公桌前查帳，卻不斷被電話鈴聲打斷，他想到需要再添一個助手了，也許，這次找個中國人幫忙。嚴塵在電話中答應一個承包商過來看地形，蓋一座供人置放骨灰或棺木的大祠堂，另外，後山還有大片林地，也要開闢成墓園。現在的商人眞是機靈，不知怎麼把他找出來的，而且把握得這樣恰到時候，青谷墓園正需要再一次擴建。

菲力浦搖搖擺擺進來，臉上裝做若無其事的笑著，胸前凸出的口袋裡，嚴塵知道是他的望遠鏡，屁股上的口袋裡，露出一截圖文並茂關於鳥種的小冊，更是不打自招。嚴塵望他一會，卻沒有責怪的意思，反而好奇的問：『有沒有再看到紅眼的金絲雀？』

菲力浦神秘兮兮的搖頭，『我看到Lancashire，我猜就是前兩天我們看到的那隻，並不是Ino，我剛才看淸楚了，眼珠是黑的，跟Ino長得眞像，嘴巴也是粉紅色的，全身黃但是尾巴一點雪白。』

『你在哪一邊的樹林裡看到的？』嚴塵問。

『南邊。Lancashire也是名種，書上說它的原生地是英國。』菲力浦臉上笑得像盛開的花，『我們這一片樹林不得了，眞是昂貴啊，嚴先生將來做了百萬富翁不要忘掉菲力浦的功勞。』

嚴塵也笑了，『南邊的樹林暫時爲你留著，下個星期有建築商過來測量地形，東面以下的樹林要剷掉，用來擴建墓園。』

菲力浦一聽，立刻難過起來，『你以前總是說樹林要留著，不可以砍伐，那才是正確的。嚴先生，你不要爲了小財就把樹林砍掉，這些樹林裡面有珍禽，將來要替你賺大錢的。』

嚴塵聽他講出一套道理，知道菲力浦正在想方設法用盡心機，心裡格外高興，然而嘴裡還是說，『我是經營墓園的，我只會經營墓園，我們的墓園要擴建，你難道不開心？』

『你以前說過樹林不可以砍伐，請你不要砍掉樹林，』菲力浦嚴重的一再強調，『請你不要砍掉樹林。』

嚴塵逕自走到外面，面對陰沉下來的山谷，烏鴉又從樹林裡飛出來，粗嘎的呼喊著，在山谷間穿梭。

墓園擴建之後，他的版圖將延伸向後面一座山，再也無法一目了然的大，好大的王國，大得無法擁抱，天啊，簡直不可思議也會有這一天，當初哪裡想得到呢？那個大祠堂要蓋在山頂上，將來多蓋它幾座，叫它什麼天主堂、聖母堂、慈恩堂的，要從下到上統統用義大利進口的花心大理石，粉紅色調一間、雪白一間、鵝卵黃一間……嚴塵不由自主的張開雙臂、微抬，他一剎間又聽到地下赫赫升起一片掌聲、歡呼聲。

9

阿蓮在山下開小店的第二年，有一天嚴塵下山路過，進去想要跟她打個招呼，不料一走進，見裡面已經高朋滿座，而且還是個聯合國呢，各色族裔都有，惟清一色是婦女。略聽兩句，好像正在訴說做爲婦人的艱苦處。嚴塵站定，隔著放商品的高架，聽一個中年的印度婦女嘆氣：『男人跟女人間，父母跟子女間都是很現實的，全看一個錢字。有時候眞覺得要維持住那些關係好累啊，還不如我們幾個女人這樣湊在一起開心，蓮，妳說是不是？』

嚴塵屏息，心裡拜託阿蓮不要講出難聽的來。阿蓮慢聲慢氣的應：『我有一個夢，我常常夢見我讓我先生徹底自由了，然後偷偷回來看他快不快樂？』

『這不好，太消極了！』立刻有人反對。

嚴塵掩身退出去，站在外面，對著店門口彎曲的山路，仰臉向著六月午間的太陽，噗笑出聲。他一路笑著走到車邊，拉開門正要進去，聽到背後阿蓮叫他：『嚴塵，你不是來找我的嗎？怎麼一句話不講就要走了？』

嚴塵微詫異的回頭，見阿蓮站在店門外，亭亭向他走來，遂說：『裡面一屋子人，看妳們好熱鬧，不打攪了。』唇邊仍然泛著笑意。

阿蓮站到他腳跟前，眼裡惡意的笑望他。嚴塵竟有點發窘，支吾著問：『要不要一起吃午飯？我請妳吃午飯。』

『謝啦，你要跟我吃午飯的話，要先預約。』阿蓮說著，兩眼移向她自己的鞋尖。

『是嗎？我下次記得先打電話通知妳。』嚴塵說完，一頭鑽進車裡發動引擎，阿蓮退後一步，看他倒退車子向下坡一彎。嚴塵這才呼出一口氣，終於離開阿蓮的視野，卻猶自怔忡著，弄不懂阿蓮什麼時候發現他在店裡？一定是一走進去，阿蓮就注意到他了，那是她的地盤嘛。難怪呢，什麼她有一個夢，鬼話連篇！一聽就不像眞的。好傻！好傻！

嚴塵差點伸手一拍額頭。

那天辦完事回墓園，碰上有兩家人沒有經過預約，逕自來看墳地，嚴塵忙完，送走顧客，發現已經七點，儘管夏日天長，山谷卻也整個暗下來了，阿蓮開車過來接他，說要謝他中午的拜訪，要回請他吃晚飯。不知怎麼，這麼多年過去了，他始終記得那夜的晚餐他點的是一道烤鴨肉，和那個甜甜鹹鹹的滋味。回墓園的半路上，車子竟抛錨，深山裡的夜，呼天不應叫地不靈，他們足足走了兩個鐘頭，才回到墓園。那是一個明月夜，墓園靜靜的，只有一團團霧氣默默的在上面飄飛。月亮大而圓，一路跟著他和阿蓮，直送他們走進樹林，走回家。阿蓮在家門口停下來，垂著兩手淡然告訴他，『這一路走來，我有一種很奇怪的感覺，我覺得非常孤單，我有幾次故意去拉你的手，我也知道你在用力握緊我的手，可是，我非常孤單。』她的臉蒼白的迎著月光。

嚴塵聽了，伸手要再去握她，阿蓮略一甩手，逕自推門進去，嚴塵落在後面，默默跟著。阿蓮那一天穿一身白色衫裙，紮一根大辮子在腦後，穿著高跟鞋的身影，雖然走過長長山路，仍然顯得十分飄逸。

嚴塵神情恍惚的在修剪整齊的草地上行走，已成習慣的自然避開墓碑。他心痛著，記憶使他心痛，也不眞懷念什麼，只是心痛著，哀悼所有的過往，所有一去不回頭的過往，腳下竟自踉蹌起來，就像那夜，爲了抄近路，他扶著阿蓮走過荒草沒膝的山路，耳邊呼呼的風聲和蟲鳴鳥啼，都比它們原來的聲音放大好幾倍的響著。月亮大而圓，像每一個明月一樣，然而，那天、那一夜，一去不回頭，所有過往的日子都一去不回頭。

他朝上坡走，望見菲力浦在服務台後面，拿一根木棍，試著把落在樹上一顆球打下來，連揮出幾棍沒有打落皮球，卻打翻樹上一個鳥巢，菲力浦彎腰正在查看究竟，冷不防後面樹林裡飛出大鳥，『嘰嘰呱呱』銳叫著俯衝下來，對準他的頭頂心啄下去。『哇呀！』菲力浦兩手抱頭躲進服務台，大鳥一嘴銜起鳥巢，往樹林深處飛去。嚴塵看得張口結舌，剛才的愁情一掃而空。他趕過去看菲力浦正自嚇得發抖，手在頭上按一會，伸開掌心，上面一點鮮血，菲力浦餘悸猶存的說：『鳥撲向頭上的聲音怎麼那麼嚇死人！』

嚴塵失笑，『剛才那一幕，我們中國的小學生就可以用來寫一篇關於母愛的文章。』

菲力浦自顧跌坐椅上，嘆氣出聲，『好累！被鳥嚇的。』嚴塵見他微禿的頭上，幾根亂髮倒豎著，的確狼狽，心有不忍的問：『頭上還痛嗎？』

『不痛了。』菲力浦雖然這樣答，卻喪氣的連連搖頭，『笨鳥居然不知道我是牠們的朋友，有幾個人能像我這樣愛牠們？好笨！好笨！』說著，兩手在兩隻眼睛上揉著，竟揉出淚來。嚴塵想到菲力浦最初來工作的那一年，幾次要求在墳場四周挖水槽並且遍撒鳥食，以吸引鳥群過來停留，都被嚴塵拒絕了。因爲生意場所不容許滿地野鳥和鳥糞，他是老闆，不能不注意這些。事實上，他變成愛觀鳥的人，完全是被菲力浦薰陶出來的。想及此，嚴塵好意的『菲力浦！菲力浦！』把菲力浦叫得抬起臉來，見那上面淚痕狼藉，『不要傻了，被一隻小生物咬一口就傷心成這樣。』嚴塵說完，走出服務台。他知道菲力浦一時恢復不過來，『跟一個大白痴在一起滋味如何？』他又聽到水雲嘲弄的聲音。而他一逕回答：『還不壞呀。』水雲向來一頭嫌他傻，反過來又一頭罵他詐。想到這裡，他唇邊不自覺就泛開笑紋。

外面又一群人圍棺聽牧師誦經的景象，嚴塵站定觀望一會，無動於衷的連聲默唸：『上帝是我們的主宰、上帝是我們的主宰。』是的，上帝是我們的主宰。他把眼光移向遠方山頭，一片碧綠襯著浮雲藍天，浮雲一朵朵移動著，向一個方向移動著。而地上站一群人素衣素面，微風過處，聽他們嚶聲祈禱、啜泣，忽然一聲哀嚎，來自當中一個黑衣婦女，人群微亂，旁邊的人手忙腳亂攙扶住她，女人挺身彎膝，仰天又一聲哀嚎，比前更淒惻慘烈，嚴塵心一下刺痛，像被尖刀刺進，血從刀縫湧出來，那樣眞實，竟不像來自幻想。他閉緊眼，一陣失血的眩暈使他向前踉蹌兩步，搖擺著，頭上移過一朵烏雲，他一路搖搖欲倒到林邊，在一棵樹幹上靠定，這才慢慢睜開眼，依然白雲藍天，剛才頭上的烏雲，原來只是山谷裡烏鴉飛過。

嚴塵鎭定下來，垂頭對著樹下幾隻爛熟的蘋果，猶自發怔。這棵樹上的蘋果其實味道甜美，只是阿蓮走後，再也無人管一棵蘋果樹的死活，漸漸就長得像野樹，不但蘋果越結越小，而且結的果多半被蟲子掏空，還惹來成群飛蟲，嚴塵幾次想過找工人把果樹砍掉，有一次卻見一個上墳獻花的女人，隨手從樹上摘下一顆蘋果，很有滋味的嚼起來，到底是果樹吔，實在難捨，這時想來還是難捨，想想看，種一棵樹之後，竟可以吃它結的果，多麼神奇！如果種的是一個人呢？是呀，如果種的是一個人呢……譬如種在試管裡長大的，器官可以被我們盡量利用的人，哎，怎麼淨瞎想，大把年紀了還淨瞎想，對別人說得出口嗎？簡直懊喪！

嚴塵沉著臉回服務台，見菲力浦竟然還坐在裡面垂淚，忍不住放大嗓門喊：『這到底在做什麼！』

『我剛才又想起來你要找人砍掉樹林，』菲力浦話沒有說完，嚴塵不耐煩的打斷他，『那不是剛好給那隻咬你的鳥一個教訓！』

『剛才只是誤會，我已經想通了。只是你要慢慢把樹林砍光，將來這裡所有的山和山谷只剩下死人，再也見不到任何生物。』菲力浦眼裡著急的望嚴塵。

嚴塵一驚，多麼可怕！只是，這難道不是我要的嗎？『這是我的生意。』他應，『記住，從此以後不許再跟我提這件事。我怎麼決定，你怎麼服從。記不記得你跟我的關係像什麼？』嚴塵問。

菲力浦臉上閃過笑意，『將軍跟小兵。』

『對，我是將軍你是小兵。我的工作是下命令，你的工作是服從。』嚴塵說完，稍微高興起來，心裡默唸：『資本主義社會不當老闆行嗎？現實社會不當老闆行嗎？行嗎？』一聲聲自問著，使驕傲浮上心胸。

10

嚴鏖八歲那年，他父親自殺死去。那時候學校正在放暑假，他每天跟一群同齡的孩子，在家附近的大河溝裡游泳。有一天傍晚回家，見門口圍一群人，他父親橫躺在正廳兩條合併的長板凳上，臉上烏黑，兩眼緊閉，嘴卻張著。他母親在裡屋嚎哭，哭一回罵一回，不知罵些什麼，細聽，『你活人不做，你要去做死鬼……』罵的竟是他父親，那使他暗吃一驚。他希望可以像他母親那樣哭喊出聲，卻一滴眼淚也擠不出來。他父親在板凳上躺了兩天，第三天才搬進棺材裡。第二天中午，他從外面回家，經過正廳，不敢近前看他父親，只是偎在門檻上隔一段距離望著，陽光斜照進屋裡，忽見一隻蒼蠅從他父親半張的嘴裡飛出來。他埋下頭乾嘔連連。他在書裡、電影裡看過的死亡有各式各樣，猥瑣的、悲涼美麗的、淒厲恐怖的，但都不像他親眼看到的這樣、這樣徹底無心肝的腐肉似的難以描述——上帝是我們的主宰，是的，上帝是我們的主宰。凡所有相皆是虛妄，須菩提啊，可以身相見如來不?不也，世尊，不可以身相得見如來。凡所有相，皆是虛妄，若見諸相非相，即見如來。上帝啊，我們的主宰。

他母親楞瞪的一籌莫展，直到他外公外婆來，催著買棺、蓋棺，『已經臭了。』他聽到竊竊私語，臭了，臭了……他沿著河溝走，赤腳踩在發燙的龜裂的堤壩上，太陽惶惶曬著、曬裂著，他唇乾舌燥，脫光衣服下去游泳，慢慢游向群童。

墓園向東的山坡上有一棵花樹，整個夏季開著熟爛的粉紅色花，狀似燈籠，嚴塵初時嫌它俗氣，多望兩眼，卻因那花呼喚出的記憶入迷，他童年家家燈籠花樹的籬笆，成行成排爛漫的掌開幾百朵幾千朵的燈籠花。他是中年開始對俗艷的熱帶花有偏愛，因著那點連繫。

嚴塵的母親來自台灣鄉下農家，他外公家裡很有一些田產，不知爲了什麼緣故，他母親會在當時那樣封閉的社會，嫁給一個窮外鄉人。他父親是個小公務員，長得蒼白細瘦，偶爾也陪嚴塵和嚴塵的母親回鄉下探親。一次甘蔗快要收割的秋天，他和幾個堂兄姐赤腳走過蔗園，地上曬得熱烘烘的沙土路，軟軟的，一步一個足印，他的小堂姐半路尿急往蔗林裡鑽，撥動蔗葉發出一片沙沙聲響，忽然從中飛出幾隻蜜蜂，嗡嗡繞著他們轉，嚴塵不及躲避，被蜜蜂在額頭上叮一口，立刻拉開嗓門嚎哭，淚眼裡見他父親長手長腳的，一步步從蔗園另一頭走近，彎下腰問，哦——塵塵爲什麼哭？塵塵爲什麼哭……

『爸啊！』他淚水迸流，在心裡痛叫出聲。那是他父親死後半年，他第一次流淚。之後，有幾年，嚴塵每一念及他父親立刻涕淚交流。然而，時間是最好的止痛劑。尤其，他外公分家，也給了他母親一筆錢在鎮上開一家雜貨舖，他們生活越過越好，他母親提到他父親的口氣也越來越淡。直到好久後一次，嚴塵在學校因一點芝麻小事，跟同學吵起來，挨了揍回家，他母親見他鼻青眼腫的慘相，立刻怒聲罵：『你也放出點本事讓我看看好不好？老是跟你死鬼老爸一樣，遇到事就往後縮。』那才是他母親的眞心話，可惜那種話說出來並無好處，他就是沒有能力改進。他母親後來在他小學畢業那年再婚。

嚴塵出國讀書，是他母親供的錢。大學畢業後，他在廣告社、雜誌社、旅行社間換著工作，最後一次把廣告社的電話給他母親，聽他母親微嘆氣說：『這是兩年裡你第四次換電話號碼，你這樣永遠在做新人，永遠在重新來過。』嚴塵低聲保證這是最後一次，他然後就出國了，這點使他很得意，他至少有重諾言信的優點。出國後讀書做事，他的運氣亦無改善，永遠在重複著被選擇和被淘汰，如此把自尊折騰得千瘡百孔，直到墓園開張。從前無論做什麼事，都爲了讓他母親瞧得起，尤其他母親再婚後，嚴塵和他父親突然間有了對手，也因此使他愈發像他父親。而他父親死時三十四歲，三十四歲的嚴塵卻在紐約靠北的山間買下第一畝地，闢爲墓園。第一個光顧墓園的，是受不住疾病折磨，自殺死去的教員。

夏日接近尾聲，夜裡一場風雨，天氣驟然轉涼，然而氣象預報說，只是冷流過境，過兩天氣溫又將回升至華氏八十六度，距離冬天猶早。惟昆蟲生命嬌脆，淸早起床推窗望去，但見窗櫺和屋外覆滿蟲屍。

墓園新用的幫手，是一個中國大陸來的男人，自稱三十多歲，嚴塵卻看他像五十餘，不懂他爲什麼要謊報年齡?大概純爲找工作方便。嚴塵不喜他跟菲力浦一般木訥，又能力有限，決定到這個週末做滿一個月就解雇他，另外找人。建祠堂和擴建墓園的計畫正在緊鑼密鼓進行，賣大理石的蓋瑞，是三十出頭的猶太人，這天大早就帶著樣品過來讓嚴塵挑選，嚴塵跟菲力浦和蓋瑞間特別有一種交情，兩人都受嚴塵照顧著，對待蓋瑞，嚴塵是凡跟石頭有關的生意，一定大力介紹過去，蓋瑞也心知感激，經常過來看嚴塵，一起喝酒吃飯。嚴塵挑妥大理石，得意的把墓園的遠景描摹給蓋瑞聽，蓋瑞聽完，假意譏誚：『美國眞是個好地方啊。』嚴塵立刻笑起來，蓋瑞的意思當然是，你憑什麼來這裡發財？只有蓋瑞可以如此對他說話，而一點不致開罪他。

『是啊，美國眞好，也容得下你這個猶太人在這裡做老闆。』嚴塵反唇相譏。兩個人心境一樣好，蓋瑞等嚴塵把事情料理停當，一起下山吃午飯。這些年來，嚴塵往來的人，只剩下像蓋瑞這樣的朋友，在一起不必回顧，只要前瞻，他需要這樣的朋友撐著。什麼時候人可以沒有鄉累？他和蓋瑞這一刻都沒有，他知道蓋瑞也是不快樂的，他的丹麥妻子兩年前離婚了。而他們正在談著酒的年份，談去年他們去吃飯的海鮮館，在曼哈頓，那個四十九歲猶單身的法國老闆蓋勃拉考茲，今年七月末突然心臟病發死去，死在健身院裡。拉考茲先生是餐館業的翹楚，他的成就不單指營業額，而在於纖瘦修長的他，是一個極端挑剔、敏感的美食家。他控制燒魚的火候，全憑魚肉的肌理質地，和魚們的個性。他也是第一個把東方食品的特色，引進西洋菜裡的人。拉考茲先生死後，報上的訃聞版詳細介紹過他的生平，和他獨特的燒作海鮮的技巧。

蓋瑞突然噴飯，『又是訃聞版！』拿雪白的餐巾抹嘴，又在餐桌上的油漬按了一下，『你眞是從訃聞版上廣開見聞，怎麼樣，寫封信去給訃聞版的編輯做個朋友吧？』

『可以啊。』嚴塵應著，他這一刻一點心事也沒有。嚴塵其實很健忘的，他常在突然間忘掉薇琪和阿蓮的容貌，要很辛苦的思索，有時要經過好幾天，記憶才會回來。

11

嚴塵是個好父親，一個做父親的人，如果常常想到要做一個好父親，他一定是一個好父親。嚴塵給薇琪買足玩具、童話書，每晚臨睡前給薇琪唸床邊故事。他還有大套做人的道理，已經預備好，等薇琪上學之後，要一件件傳授過去。嚴塵絕對是一個好父親。

他星期假日，清早出門買報總愛帶著薇琪，三歲的薇琪踩著碎步，搖搖擺擺跑在前頭，『薇琪，不許跑，妳要等爹地呀。』薇琪好像收不住腳的越發往前直衝，眼看就要衝出人行道了，『薇琪！』嚴塵喊。街上這時急駛過來一輛卡車，『薇琪！』嚴塵的心一下凍結住。但見右前方一個穿黑色洋裝的中年女人尖叫一聲，大步追到街上抱過薇琪，好險啊！嚴塵瑟瑟抖著，接過女人凌厲的眼光，接過薇琪。『薇琪寶貝，不聽話，不聽話，小壞蛋，心肝。』他緊緊抱住薇琪，把臉頰一次又一次揉擦著薇琪的短髮。

阿蓮在家裡煮好咖啡煎好蛋和鹹肉條等他們。嚴塵進門後，照例先過去把大疊報紙放到走廊裡的長桌上，薇琪已經直奔廚房，嚴塵不確定薇琪會不會告狀，搶先說，『今天好險，差點被大卡車撞上。』到餐桌旁坐下。

『啊，』阿蓮從咖啡壺上抬頭，吃驚的問，『是你嗎？是薇琪？』

『沒事啦，有驚無險。』嚴塵說完，寒下臉對薇琪，『薇琪不聽話，以後不帶妳出門買報了。』

『薇琪乖，聽爹地的話。』薇琪嚼著鹹肉條，漫不經心的應。

阿蓮微笑，把咖啡和果汁一起端給嚴塵。嚴塵猶有餘悸，今天早上，只差一點，一家人就不能像這樣，坐在這裡吃早餐了。那時候，只要他分秒必爭的衝上前，他來得及抱過薇琪呀，何用看那個女人當救命菩薩？不對，不對，他逕自搖頭，當時的估計是來不及的，再怎麼箭步衝上前也來不及，不過多賠上一條人命而已，來不及的，眞的來不及的，他猛力搖頭。那個女人能夠衝去搶救，是因爲她跟嚴塵至少距離兩步之遙，這兩步之遙就是一個大關鍵喔，嚴塵眞的是不可能、絕對來不及搶救薇琪的。

——然而，他到底是一個自私的父親，他貪生怕死只顧自己保命，他不夠資格爲人父。嚴塵惻然躺在枕上，聽窗外樹林裡傳進來一聲聲烏鴉低啞的嘶嚎，蛙群倏然靜止，有好一霎，不再鳴叫。嚴塵摸黑起床，細聽遠方一片沙沙聲，來自大門的方向，他過去，『呀——』門應聲拉開，屋外夜潮，微弱的星光下，黑夜捲著濕霧，一波一波潮水般翻湧著，『薇琪，』他對著漸行漸近漸清晰的長身喊，忽然了悟長身上一直是薇琪，從來不是阿蓮，是今年十七歲的薇琪，他的女兒呀！『進來，薇琪寶貝，進屋裡來。』他竟至略羞澀的喊。

『爹！』聲音像嘆息，響在耳邊。前方忽見兩盞車燈如炬，長身迅速在濕霧裡漫開。啊，他這時候最不想要看到的人就是水雲！車子駛近，待看清不是水雲，卻又微感惆悵。

『詹先生怎麼這時候……』他訝問的聲音，越說越細小。

詹先生從旅行車裡出來，『對不起，這麼晚來打攪。我心情實在太好了，一定要找你慶祝一下。』他大聲說著，一邊揚了揚手中的紙袋，『香檳兩瓶，慶祝我兒子換心手術成功！小命一條值三十萬。』

嚴塵發現詹先生已經醉了，微笑著讓進他。

『我兒子今天出院了，回家看到房間被重新佈置過，還會不高興罵人，中氣十足喲。』詹先生兀自滔滔說個不停，『他暑假後要去洛杉磯唸書，醫生說毫無問題。』

『那恭喜呀。』嚴塵應，到櫥櫃裡找出香檳酒杯，很小心的開瓶，一點不讓冒泡出來。

詹先生打量客廳，到沙發上舒服的坐下後，笑一聲說：『兒子一條命，完全靠錢買回來，換心手術三十萬，他老子一顆心，可沒那麼值錢喲。』

嚴塵忽然呆住，換心手術三十萬——是很值錢呀。他努力思索著，詹先生見他發楞，逕自過來倒酒，交一杯到嚴塵手裡，『For health!』邀他碰杯，嚴塵回過神來問：『你上次提到美國每年有三萬五千人需要器官移植，而換一顆心三十萬，這不是很大的市場嗎？』

詹先生喝下一口酒，嘿嘿笑著，回沙發上坐下，『我兒子到底年輕人，看他又生龍活虎的活過來了，也不曉得他現在用的到底是誰的心臟哪？』

嚴塵一下心痛，慘白臉扶著椅背慢慢在沙發上坐下。

『你看過我嗎？』薇琪憨笑的照片上，大字標題如是問。

薇琪・嚴：二月九日一九七八年生

體高：四呎（四歲）

體重：六十四磅（四歲）

眼睛：黑色

頭髮：黑色

性別：女

失蹤日期：八月九日一九八二年

失蹤地點：皇后區，紐約

他的腦海裡一直有一幅農莊的幻境，在旭日中，煙波浩渺裡，一小點向他慢慢航近，航過他的眼前，晨風吹破雲霧，從破洞裡他看到一片竹林，竹林裡隱約現出三合院，風往他的方向吹，挾著一波一波嘈雜的人語，隱隱的緩緩的航向遠方，航回幻境的起點。及長，幻境裡的竹林隨之變化，有一長時間，終至面目模糊，至中年，復撥開雲霧，代之而起一片楓林、松林、橡樹林，隨四季，葉生葉落變換顏色。林裡美國殖民時期的大白色建築，太多的迴廊、太多的欄杆，越過欄杆，虛無縹緲間，但見一座一座重疊著圓塔形的……焚化爐？其形，竟像他童年爬過的那座叫自由水塔的水塔。幻境一次又一次重現、再現、重疊。『爹地！』『爹地！』嚴塵忽見薇琪穿出迴廊，盲目的在焚化爐間奔跑，不由驚出一身冷汗，他從未念及，要把這幅幻境跟薇琪連結在一起呀。

上帝是我們的主宰。嚴塵垂頭默坐椅上，扳起指頭數，一、二、三、四、五，另換過一隻手再數一、二、三、四、五，兩手交替反覆數著。惟有這樣細小的事，是份內的。其他種種一併交給上帝吧，上帝啊，我們的主宰。

『數了半天，你的手指頭還是十根嘛，並沒有多出一根嘛。』詹先生湊近前，望著嚴塵數手指頭，笑嘻嘻問。

嚴塵咬緊牙默唸，只有一種迷信，那是關於基因，關於基因控制生命，除此別無迷信，是的，除此別無迷信，除了基因……他聽說過一個笑話，一個正在行飯前謝禱的基督徒，『上帝賜給的飲食，上帝……』忽見他家花貓躍身餐桌，情急大叫：『貓！』嚴塵猛然抬頭，亦如此回敬過去：『貓！上帝，貓！上帝貓！』他啞聲喊向偏心的上帝。

晨曦透窗而過，使他身上彷彿多出一個人的體溫，開始一點一點的沁出汗來，昨夜，結果喝多少酒，不復記憶。他此時身體裡的細胞全被酒蟲吞吃淨盡，蝕空了的衰敗空虛，再也無慾無求。

他四肢攤開平躺，裸身。晨風從窗縫滲進，細細的，吹遍肌膚，自髮與髮間，頸窩、胸腹、下體球狀物，弧形與直線間，風細細吹過，他想到童男時代的裸泳，流水從身上每一個微細處，川流而過，溫柔的，肉身被沖開成千片萬片，與水奔流，然則，他慢慢睜開眼，悠悠醒轉。

12

水雲也跟阿蓮一樣，喜歡往後山的樹林跑，水雲在找一種叫夏娃草的植物，用做洗腸劑。她先生因精神過度緊張，正在患鬱結症。那時近五月，水雲要趕在晚春花開之前採摘，才具藥效。午後，水雲從樹林出來，懷裡抱一把夏娃草，葉甚大，有幾棵已經結粉紅色花苞，水雲指帶花苞的夏娃草說，此等已熟透，只合用來夾奶油麵包吃，『你聞，很香的，有蒜味。』

嚴塵心裡略訝異，聽水雲兀自往下說，『較嫩的這種取來，每次喝一匙汁液，可以使體內穢物藉小便排泄出來。』水雲如是說，嚴塵亦不想告訴她，阿蓮後來幾年潛心鑽研天然草藥，小有斬獲。也許，如果水雲沒有幾分像阿蓮，嚴塵也不會愛她，人實在有限，然而，也還好是如此。

那天傍晚，水雲又回到墓園，嚴塵問她煎藥給她先生吃過沒？水雲回說，藥煎好了，她先生拒吃，水雲遂自己喝淨草藥，感覺良好。『妳沒有病，何必自己喝掉？』水雲說若不喝掉，她先生一定信不過草藥，『他結果信了嗎？』

『還是不信。』水雲笑。

『那倒好，』嚴塵放心的說：『如果妳喝掉草藥他就信了，那他信不過的就不是草藥，而是妳了。』

『啊！』水雲一下語塞，過一會，焦急的應道，『沒有那麼糟，不可能那麼糟。』嚴塵伸手跟她一握。他們進入樹林，朝嚴塵的住處走去。水雲變得心不在焉的十分不安，嚴塵知道剛才不該口無遮攔；但是，水雲自有方法說動她自己，無需嚴塵操心。

水雲會用什麼話說動她自己？『嗳，實際點吧，有比沒有好，有過比沒有過好。何必太認眞呢？自以爲看到細菌就一定要把它消滅掉？我們不是每天跟細菌在一起生活得很好嗎？上帝就是要我們不必太認眞嘛。』嚴塵想到這裡，回頭看水雲，正在床前脫衣服，嚴塵躺到床上，看水雲拉下胸罩丟開後，爬到他身邊，肢體交纏。而總在這時候，一併交心。『這兩天不知道怎麼，想起一件事，』水雲咕噥，『十二歲那年吧，暑假，』

——十二歲的水雲，暑假裡的豔陽天，嚴塵跟進。畫面是南台灣的農村，大片沙地上芝麻田、番薯田、花生田，水雲跟在她的小堂姐身後，往農田後另一片農莊走去，走過竹叢、芭樂樹，在黃土路上遇見一個好看的中學生，穿童軍服，腳踏車上斜掛著書包，那是小堂姐的表哥，『忘了怎麼叫他的，不過，是好看的，尤其一雙眼睛，你知道，不那麼好形容……』水雲輕笑一聲。她們那天就是要去表哥家，有大院子、果樹。白天裡怎麼過的，十分模糊了，只記得夜裡睡覺的房間裡鋪涼蓆的大床，和大白紗帳，小堂姐睡在水雲和一個年長的女人當中。夜不知道什麼時候褪盡，她在一片溫柔裡醒轉，回頭朝她身邊的人微笑，表哥撫摸著她的手臂，在她耳邊說：『妳眞好看。』

『你昨天晚上也睡在這裡嗎？』她好奇問，發現年長的女人不見了，小堂姐猶自熟睡，窗外，微透進曙光。

『妳怎麼這麼好看？』表哥一逕望她，好一會，才答道，『喔，剛才過來的，我也剛起床。』

小堂姐也醒來了，他們一起到屋外院子裡玩，等吃早餐。

『他沒有強姦妳嗎？』嚴塵問。

『當然沒有！』水雲生氣的答，把背對嚴塵。嚴塵心上略不是滋味，卻自覺無聊，不便說出口，水雲忽然冒出一句，『是呀，他怎麼不試試看呢？』

『做什麼？』嚴塵用力扳過水雲，壓到她上面。

『你剛才問的呀。』水雲在他懷裡小聲說。

是從水雲那裡，嚴塵才知道他自己原來是個好吃醋捻酸的人，從前對阿蓮倒沒有這樣，也許因爲一向都太有把握了。可是，對水雲不同，嚴塵嫉妒每一個跟水雲熟稔的異性，甚至樂團裡，水雲偶爾見面的男團員，想到他們在一起做著有趣的事，嚴塵的心就會一點一點疼痛著，卻實在無法說出口。

水雲當然也不忘隨時刺激他，顯然彼此都無把握，只好勘不破的互相折磨著，也許，戀愛之吸引人盡在於此。

然而，眞正的刺激來自另一層幻想，嚴塵想方設法套出，水雲的科學家丈夫，其實是個一流人才，雖然研究失敗，仍然不失英雄本色，若非如此，怎麼成其爲對手？另外那個男人一定要越偉大，嚴塵一定要越作踐他的妻，成就才越高。而這點低級無恥的心思，一定不能對水雲透露，一露底就會變得木膚膚沒有滋味了。

水雲忽然從他懷裡探頭，『問你一件事，老實招來，你什麼時候認識性？』

嚴塵想了一下，說：『從前看到女人內衣廣告，下面就會硬起來。』

『不老實。』水雲伸手在他腦殼上敲了一下，『在那之前啦。』

『妳帶頭先講，我怎麼知道妳什麼意思？』嚴塵應。

水雲上身從枕上撐起來，橫他一眼，罵：『好詐！』卻興致勃勃的另外托出一個故事，是六、七歲那年，整個暑假，一連玩過幾次同樣的遊戲，有個女孩名字裡也有一個雲，大水雲半歲，可是心智卻成熟多多，『不過她的琴彈得很爛！』水雲補充。兩個女孩同時在鋼琴老師處學琴，同進同出，大女孩常去水雲家，因水雲家栽種木瓜、釋迦、柚子樹的後院，沉沉夏日裡悄靜無人，大女孩發現新大陸似的喜不自禁，摘下一段釋迦葉交水雲，『我要生小孩。』話才說完，立刻褪下褲子朝釋迦樹下一躺，指揮水雲用枝葉在她私處戳兩下，水雲照做後，大女孩一聲『生出來了。』立刻褲子一拉站起來。

嚴塵聽得哈哈大笑。

水雲訕然說：『我只是奇怪，怎麼一覺醒來忽然看到那個男孩睡在身邊，一點不曉得怕，全無性感。很不通的，因爲，』她更小的時候，六歲前吧，家裡忽然來一批父親的朋友，忙得人仰馬翻，到夜深，水雲睏極，在後院男傭阿欽伯屋裡睡下，半夜醒來，見阿欽伯跟他兒子睡在大床另一角，氣得哭嚷立刻要回家，阿欽伯睜著惺忪睡眼勸她天亮才回去，因爲大家都睡了，水雲抵死不肯，阿欽伯只好起來帶她去前院拍門，叫喊半天，才見燒飯的阿秀出來應門，水雲一頭撞上去，把阿秀推到牆角，問清阿欽伯睡在旁邊，並不會生小孩才放心了。但一連三天不睬她外婆，因爲臨睡前叮囑過她外婆不許落下她一人自行離開，而她外婆竟離開了。水雲解釋不是她外婆的錯，『婆不忍心叫醒我，而且，那時代的人眞是老實多了，你知道他們那一輩的人，我那時候只是年幼氣大。』

嚴塵立刻想到他父親，不知所以的唔一聲。

『你看，此一時也，彼一時。兩次異性睡在旁邊，你有沒有辦法解釋兩種完全不同的反應？嗯——？看你也不行。』水雲調笑，翻到他身上，臉埋進他頸窩裡笑著、顫笑著，使他的身體一點一點抖起來。

跟水雲交往一場，除了性，還是性，還是性……不對，不盡然，如果沒有愛，也不致對另一個靈魂，甚或自己的靈魂，有如許多好奇，而人性多麼迷人，並不是幾場交歡可以代替的。

聽說物以類聚僅指同性，異性是越不同越要相吸。這不過是想當然耳的泛論，其實，他跟阿蓮和水雲間都存在某種微妙相似處，很難用一言兩語概括清楚，譬如有一次，水雲在白天訪墓園，逢上他有顧客在，脫不開身，嚴塵要她下山逛一圈回來，或者逕去他屋裡看電視，水雲卻堅持坐在樹下等，嚴塵急說不行，赴死戰士般，『這一去至少——兩個鐘頭！』

『不怕。』水雲微笑，『我的大腦很活躍，隨時可以招來一群人陪我，這世間所有人、任何人，只要被我邀請一定立刻駕到，我從來不怕閒坐無聊。』

嚴塵一聽啞聲失笑，想到還是那句俗話貼切，不是一家人，不進一家門。當眞。

13

如果時光倒流，時光在幻境中自然倒流，二十歲的嚴塵同時遇見阿蓮跟水雲，他將約會哪一個？阿蓮很美，嚴塵多半先看上她，未必，水雲可愛，嚴塵一定被她吸引，想不到如此難取捨，大概只好擲銅板決定了，向來是，越形複雜的問題，用最簡單的方法解決，奏效。假設老鷹是水雲，人頭是阿蓮，等看翻出來是哪一面？答案立見分曉——哎呀，人頭，不行，第一次不算，重新擲過，換一個銅板重新擲過，吸住氣後閉上眼許願，看！怎麼還是人頭？這一次還是不能算，一般都給三次機會的，最後一次要很小心，老鷹，老鷹出來！弄什麼玄虛嘛還是人頭，一定是阿蓮在作怪。

擲銅板並不算高招，阿蓮既然搗蛋，換科學方法處理也許更恰當，由電腦計算所受教育、智商、性向、身高體重、家庭背景，惟如此，他們三人可能搭配不到一起，嚴塵可能分配到一個門當戶對的處處跟他看齊的女人，像一個同志，像拜把兄弟似的女人，不行、不行，愈發複雜了，因爲，誰能夠保證，他此生不會遇見水雲跟阿蓮？經過電腦處理後，他再遇見水雲跟阿蓮，就可以像老僧入定嗎？其實，不論選擇水雲或阿蓮，效果都是一樣的。原來，治本的方法在於自我約束，那是他幾乎沒有的德行，是的，如果那天，水雲深夜造訪，嚴塵請她等在外面，自行回房裡穿戴整齊出來，然後兩人在山谷裡散步，僅止於在山谷裡走路聊天，自我約制著，絕不回屋裡，當水雲訴說，如何她的丈夫不相信她沒有在外面跟其他男人睡過覺時，嚴塵於是安慰，『眞相一定會大白，眞金不怕火燒，一定有還妳淸白的一天，回去吧，回到妳先生身邊就是最好的說明。』

於是水雲眼裡幽怨的謝一聲，開車下山，從此從他的生活裡消失掉。而他，嚴塵，一心一意發展墓園的結果，成就爲全世界最大墳場的老闆。新蓋的祠堂一定要有特色，要用心計畫一下，用大理石做建材的構想是好的，可惜嫌保守毫無獨到之處，他心目裡的祠堂建築，其實是由冰冷堅硬的金屬器和幾何圖形結構完成，像一座太空艙，悠然駛向永恆。他一向偏愛冷色調的居住空間，冷冷的，絕對跟腐臭無關，跟死亡無關。

如果我們的地球沒有死亡，會有一個什麼樣的人間世？孔子、蘇格拉底會穿著拖拖拉拉的大袍子，每天在電視上向全球人類訓話嗎？文秦始皇、希特勒這種人不死怎麼辦？我輩小民，將每天被成群偉人凌遲，精神凌遲、肉體凌遲，奄奄一息的活著，卻很奇異的不會死。他父親吞過農藥後，心臟停止跳動兩天，又坐起來，摸摸他頭說：『兒啊，這一覺睡得不錯，少看你母親兩眼，少聽她兩句嘮叨，不錯。』這是一個沒有最終審判，因此沒有眼淚，沒有傷情、沒有悔恨的世界。『阿蓮！』嚴塵兩手一拍，大聲呼喝。阿蓮慢吞吞走過來，『妳不用走遠了，反正不會死，分離既然沒有明確定義，真的不必走遠了，多此一舉。』

『好哇，我就留下，你那個水雲怎麼辦？叫她去做你爺爺、曾爺爺的填房吧，我輩沒有三妻四妾。』阿蓮瞪他。哇，這樣漫無邊際的幻想還不行呢，就此打斷！

水雲，我剛才不說話的時候，妳在想什麼？嚴塵如是問。水雲抬頭，『我在聽克林頓吹薩克斯風，他戴一副大太陽眼鏡，只吹奏給我一個人聽。』水雲陶醉說。唔，水雲腦袋裡裝的東西比較好玩。嚴塵拉她到床上，做那一件事，只有一件事百做不厭，就是那一件事。嚴塵事後，笑。

『不要在床上亂笑好不好？你使我覺得像個傻瓜。』水雲說。

嚴塵於是不敢吭聲。然而，裝作如此好人並不濟事，水雲那天，接下去，心不在焉的告訴他一件驚天動地的大事，她說樂團的負責人，那個拉中提琴的喪偶的愛爾蘭人，要求她離婚，嚴塵聽完立刻失控，『他怎麼可以！什麼意思？』

因爲他太太確定死掉無疑，就可以如此囂張嗎？也不想想看，過去的每一年裡有多少次，我親眼看他上墳獻花。跟一個陰魂不散的女鬼爭風吃醋，可不是鬧著玩的，水雲、水雲，我但願可以說出口警告妳。嚴塵喪氣的想。

水雲微笑。嚴塵注意到她笑起來眼角佈滿魚尾紋，前一陣好像沒有這麼明顯，那些魚尾紋使嚴塵心裡好過許多，聽水雲說，『他很正派嘛，他說這麼重要的事，應該攤開在陽光底下。』

分明在罵他。其實，水雲自己根本不是會離婚的人，她沒有那麼剽悍的個性，嚴塵早看出幾分，然而，這時候見她這般裝腔作勢，嚴塵還是氣結，低聲問：『妳怎麼回答他？』

『沒有答覆，只當作在聽一個笑話。』水雲倒又靈黠的立刻洗刷：『除了一起在台上表演的時間，我實在難得跟他私下喝杯咖啡什麼的，那天忽然聽他講那些話，也把我嚇一跳。』

嚴塵默默下床，到廚房燒咖啡，水雲跟在後面，接著說：『他介紹我到一個有薪水領的樂團去。』

水雲正在跟他要錢嗎？到底還是要落進那個老窠臼裡。嚴塵無聲的嘆息，靜等水雲接下去。水雲卻似完全不理會嚴塵反應，逕自說她哥哥在台北玩股票破產了，水雲父母連打電話來哭訴，她聽得厭煩欲死，因爲幫不上忙，又屢次被她父母親說話間的愚蠢所觸怒。『從前並不覺得他們蠢呀，怎麼一碰到現實問題，立刻像蠟燭遇見火，什麼都瓦解了。我們就是這樣在一起吧，沒有確定的名分。』一切都禁不起考驗，禁不起考驗！『我無法想像，有一天你會爲一點切身問題，跟我翻臉。你現在記住，我們之間沒有翻臉不認人的事，請務必對我好一點。』

『哇！妳這是怎麼？』嚴塵呼出一口氣回頭。

『因爲你剛才一連串的反應，』水雲懊惱的說，『你以爲我不在乎？你不曉得就算你背對我，從你的後腦勺我也看得見你臉上的表情。』

『知道妳厲害了。』嚴塵淡淡的瞄她一眼，眼光移向窗外，見一隻鳥在地上焦急的踩碎步，忽然笑一聲，問水雲，『妳看牠像不像妳？』

水雲瞪著鳥出神，聽嚴塵在旁邊說：『講一個數目出來，我要幫妳。』水雲赫然轉頭，『你眞的以爲我在跟你要錢嗎？我想是的，可是，我只是要知道你肯爲我做任何事。』

嚴塵低頭倒咖啡，水雲端過一杯自去加糖。嚴塵暗自慚愧，因爲聽水雲那樣說後，他心裡確實輕鬆了。嘴裡於是高興的說：『還好通過考驗。』

水雲低頭一心一意喝咖啡，許久不肯抬頭看嚴塵。畢竟，他們的關係還是受到損傷，像岸邊的岩石，不知不覺間，一點點剝落消蝕掉。嚴塵是到了這時候回想，才感覺到了。

如此看來，水雲最後從這裡拂袖而去，跟她強行開門看主臥房那檔事，並無直接關係，是早就埋下分離的種子。這樣想的時候，真恨不能立刻見到水雲，他激動的過去撥電話，這一刻，他絕對願意跪下去請求原諒。然而，鈴響很久，始終沒有人接，又一次落空，也許，他跟水雲已經緣盡了，這也是天意嗎？他不信。

14

嚴塵把車子停在距離教堂一條街遠的路邊，音樂會在三點結束，現在差十分三點。他走過去，隔街面對教堂大門，門口一群人舉著標語在遊行，『你知道有多少軍人沒有慶祝過他們的三十歲生日嗎？』原來是反戰示威，嚴塵在美國近二十年了，依舊不習慣美國人無論大小事，一概來個示威遊行的壯舉，總覺得有濫用人權的嫌疑，惟反戰和環保，絕對有理得令他服服貼貼。水雲就說過，示威遊行總要是關於衆人的事才行，若跟隱私有關，則不能讓人心服，像反墮胎，『一看到就令人生氣！』嚴塵唇邊泛開笑紋，兩眼望著從教堂裡魚貫而出的人群。他是先看到大提琴之後，才看見穿著黑色長裙的水雲，和水雲身邊的愛爾蘭團長，和他的中提琴。嚴塵猶豫了一下，過去打招呼，水雲面無表情的瞄他一眼，逕自朝人群外走去，團長跟他握手寒暄，兩人慢慢走到水雲站立的街角，團長略躊躇，說，『你們有話要談，我先走了。』臉對水雲，水雲仍然面無表情，團長湊近前，在她腮邊印下一個吻，跟嚴塵揮手，離去。

嚴塵接過大提琴，朝他的車子走去，水雲說要直接回家，『等一下再回去吧，這很像我們第一次見面那天，連氣候都像，妳不覺得嗎？』水雲冷淡搖頭，嚴塵不便堅持。車子往鎮外的方向開去，水雲忽然受不住沉默尷尬似的，開始不停說話，談鎮上新開張的小店，指給嚴塵看停工的辦公大樓，『聽說破產了好幾個百萬富翁，市面很不景氣吧，你的行業大概感覺不到。』嚴塵默默開車，一心一意只在猜測，水雲不曉得跟團長上過床沒有？那個愛爾蘭樂師，嚴塵知道他並不隨意留情，這次對水雲一定是出自真心，才會要求水雲離婚，而那已經是半年前的事，這半年裡，他們的關係會在原地踏步而全無進展嗎？尤其嚴塵形同退出，從沒有積極的回頭找水雲，水雲可能負氣依靠過去，他怎麼老早沒有看到這一點？他們一定上過床了，絕對上過床了。嚴塵一陣頭暈目眩緊急煞車，還好小路上人車稀少，水雲訝然望他，鎮定的指揮嚴塵把車開停路邊。兩人間又是一片沉默，嚴塵慢慢恢復過來，問：『妳怎麼樣？好不好？』沒有等水雲回答，又接下說：『我打過幾次電話，沒有人接，妳白天都忙嗎？晚上……妳知道……我不便打電話過去。』

水雲偏開臉，向著窗外逕自說，『還可以開車嗎？開車吧。』

嚴塵倒抽一口氣，以為水雲會朝他喊：『你沒有誠意才會找不到我……我再也瀟灑不起來了！我心胸狹窄！我什麼都在乎！』那麼，大約只要擁抱和親吻就可以解決問題，這時，他卻手足無措起來，只好依言發動車子，他不曉得，如果大聲問向水雲：『妳到底跟那個團長睡過覺沒有？』會收到怎樣的效果？會飛過來一個耳光？或者僅聽水雲幽幽說：『那人至少是眞心的，比跟你鬼混強過百倍。』……他不曉得為什麼水雲有沒有另外跟人睡過覺，對他那麼重要？『你們，論婚嫁了嗎？』嚴塵終於想到如何表達，把車子加速往前開去。

『你現在正在送我回我跟我先生的家。』水雲一字一字淸楚的說。

這到底沒有回答他的問題，使他後悔剛才那一問，之拙劣，被水雲輕易閃開了。早知還是單刀直入奏效，可惜，機會已經錯過，如今，除非兩人一起在床上，嚴塵知道，他是無法繼續在這點上打轉了。

他看水雲背著碩大黑匣，像螞蟻恭謹扛著巨大一塊食物，掩進那扇白漆大門裡。胸腔裡忽然翻湧起一層一層恐懼，他必定再無可能跟水雲有絲毫肌膚之親，再無可能了！昨日一切，譬如昨日死。他難受得恨不能飛奔過去用力拍門，水雲！水雲！妳是我的親人，如果不在現世，必定在前世，或者來世，水雲，妳絕對是我的親人！

親不親，是大關鍵，跟生育有關。他立遺囑：我嚴塵死後，一切動產、不動產統歸我的妻阿蓮名下。夫妻雙亡後，一切動產、不動產統歸我們的女兒薇琪・嚴名下。遺囑經法院公證，一家三口，於是無後顧之憂？前瞻之慮？跟法律有關，用字遣詞須當小心謹愼，不可疏忽。

阿蓮講過一個猶太人的笑話，一黑衣婦人駕豪華轎車到車廠，意欲售車，經紀把車子裡外檢查過後，訝問：『這車幾近全新，當眞要賣？』婦人表示的確要賣。經紀問要價若干？婦人答曰，二十五元。『二十五元？妳在開玩笑嗎？』經紀不以爲然，『請不要浪費我的時間，還有，妳自己的時間。』

『的確二十五元，一分也不許多給。』婦人斬釘截鐵答。

經紀問曰何故？婦人答說她新近喪偶，亡夫在遺囑上聲明，該轎車售價當歸他的秘書情人所有。

阿蓮說後大笑，嚴塵亦陪笑臉。法律保障法定人，『保障有理！』吧！法官驚堂木一敲，定案。水雲，妳在前世和來世是我的親人，跟生育有關，千萬勿要去跟那個愛爾蘭人上床，噓，千萬。

某日，午後，蓋瑞赴墓園找嚴塵，兩人行走於整齊的墓碑間，蓋瑞說，他剛在律師處修改過遺囑。蓋瑞原意，死後把部份遺產捐慈善機構，部份給他最年幼的弟弟。奈何他弟弟大學畢業後，一直在當著同性戀公會的會長，最近發現得愛滋，勢必在蓋瑞之前死去，蓋瑞因此要把遺產悉數捐贈愛滋機構。

『你的遺囑應當多列出一條，若一家三口都不在人世，財產贈愛滋機構。』蓋瑞端正臉色說。

嚴塵搖頭，他相信他的妻女都在某處生活著，以各自的體溫暖和著地球。嚴塵若死，則意味薇琪某一部份的死亡，亦即意味嚴塵之不死，薇琪必將盡責的延續嚴塵和他父親的生命。嚴塵於是再搖頭。

『怎麼？還想找個年輕女人結婚，養幾個後代？』蓋瑞笑問。

嚴塵略一思索，回說：『也許。』

蓋瑞笑，『你要先搬個家吧？這墳場能夠做兒童樂園嗎？你當初怎麼挑上這一行的？』

『為我父親挑的吧，他那時候葬得很簡陋。』嚴塵說完，先自詫異，原來是為了這個原因呀，如此也算水到渠成了，經過近半輩子的醞釀。

山谷已經開始變色，一點黃，一點淡紅，在山尖。最初總是這樣，不怎麼覺得，要等進入十月，等一場雨霧過後，推窗一望，哇，秋天壓下來了。

他終於生活在一片四季分明的土地上，惟不見他父親的故國八千里路雲和月，不見他父親的鄉累。他父親跟他描摹的故園其實是滑稽嚇人的，『我們老家裡的冬天，冰雪凍的咧，人到屋外站久了，耳朵鼻子絕不許碰喔，一碰就一個個掉落地上了。』

『啊！』小塵塵驚叫，『那可不滿地都是耳朵跟鼻子嗎？』

『是啊。』他父親微笑。

小塵塵於是行走在冰地上，一路行走，一路踢石子似踢著一隻凍僵硬的耳朵，而迎面就是一個缺鼻子的人。

又，他父親的叔叔參加游擊隊，懂易容術，在深夜敲後門回家，傭人憑聲音認人，放歪嘴的黑臉漢進來，黑臉漢喊出家裡每個人名，然後，兩手往臉上一抹，嚇，原來是叔叔回家了。

15

那就是他父親魂牽夢繫的故園故人，他父親始終沒有適應過來小島氣候，終年犯著熱傷風，有時嚴重起來，整天不出門，關在他那間只有兩個榻榻米大的書房裡。中午，嚴塵過去看他，門敞著，他父親面朝外坐在籐椅上，垂眉閉目，臉上紅燒，書桌上點一枝香，香火裊裊上升，嚴塵手裡拎一隻端午節的粽子，倚在門框上，見他父親兩唇乾裂，唇上起著一顆顆水泡。屋裡沒有開窗，隱隱的香煙氣熏人。他父親忽然睜開眼，望他好一回，問：『吃過粽子了嗎？』

『媽要你吃粽子。』嚴塵近前，把粽子擱在桌上。其實是他自己帶過來的，不知怎麼，卻那樣撒著謊，倒好像他母親捨不得粽子給他父親吃，需要他瞞著似的。其實並沒有那樣，他母親只是看慣了他父親老是病懨懨的，不再大驚小怪罷了。

他父親沒有理會粽子，僅叫他彎下去把藏在書架後面，一隻小盒子拿出來，令他打開。紅絨布包一枝老式派克金筆，『是爺爺給的，你拿去吧。』

那枝筆後來讓他母親看見了，他父親已經死去三年，他母親把筆在手裡轉來轉去，咕噥，『我從來不知道他有這枝筆。』他沒有告訴母親，那是爺爺的筆。他猜，他父親跟他母親分享的領域，一定十分有限。

他父親實在不該自殺，怎麼捨得對明天的世界沒有好奇？也許那個鬱悶的年代實在太漫長了，致使他父親看不見路盡頭的千變萬化，其實竟也有撥開雲霧，重見故園的一天。

他怕念舊，像在洪荒裡怕一條毒蛇樣的怕念舊，怕它的無所不在，『念舊是失敗主義！』他在心裡大聲喊，『念舊是失敗主義！』是的，念舊是殺手，他父親、他自己的無休無止的念舊。把它踢開，像踢腳下一顆石頭，踢開！他在樹林裡急走，山谷另一面傳過來伐木的聲音，過兩個月祠堂建蓋就要開工了。墓園裡新用一個馬來西亞來的中國人，年輕的卻古典的，像上一輩的人主僕有序的對老闆恭敬忠誠，大概南洋一帶的社會還淳樸，還保有一點舊時代的遺風，想到這裡，嚴塵又失笑了。

後山正在大肆砍伐，然而山谷這一帶的飛鳥並未見增加，不知牠們往何處飛散了。少了其他鳥，嚴塵不覺失落，如果青谷墓園裡沒有烏鴉，卻是不堪涉想的景況，就像他已經認定，在潮濕溫熱的夜裡，必得聽群蛙鼓噪入眠一樣。烏鴉即青谷墓園的一部份。

烏鴉是聰明鳥，牠會在鷹隼、貓頭鷹之類的食肉鳥出現前，發出特別聲音警告群鳥，並設法把食肉鳥引開。惟烏鴉雖不忍見群鳥被食肉鳥捕殺，自己卻嗜食songbird新孵出的小鳥，和牠的鳥蛋，是善惡不明、忠奸難分的鳥。

嚴塵見一隻烏鴉正閉目棲息墓碑上，舒服的享受秋陽，樹林裡忽傳出另一隻烏鴉粗啞的鳴叫，墓碑上的烏鴉立刻睜眼傾聽，頸下長羽毛根根豎起，一振翅，斜穿進樹林。

北方的墳地，四個大漢正把棺木落進已經挖好的洞穴裡，等死者家屬和牧師過來進行告別儀式。死者是猶太人，猶太習俗死後二十四小時內，必得下葬，如此斷然無牽掛無戀棧，眞像山澗，清澈明淨至極，告別儀式也極盡簡短，理性至極，眞是萬物生息自然循環，如草木榮枯，沒有不可接受者。惟烏鴉猶自遲遲繞棺低飛。下坡停車場走過來一群人，由牧師帶頭，移近墓穴。死者至親象徵性的鋤下第一鏟泥土拋向棺木，至親至此，你死，我掩埋。烏鴉，莫要來食。跟著，諸親好友，依依剷土撒棺木。嚴塵眼光停滯半空間，烏鴉的長喙可以一口叼走一大塊肉，屍身借力一下跳動……不對、不對，烏鴉高飛遠走，莫要來食。嚴塵希望活到一百歲，也許更長，活到眼昏花、齒動搖，一息尚存猶看大地兒女還歸大地，從一個山谷越過一個山谷，再越過一個山谷的統統還歸大地。他最末倒下，極孤獨，滿天逐屍的烏鴉，像黑色雨群落向他啄食。他要在他這一輩人之後死，在阿蓮之後，水雲之後，由他哀悼所有人，看他們落土安葬，由他的屍身餵食烏鴉作爲看遍這一代人的代價。

水雲某次說，她的小哥五年前在洛杉磯病故，水雲飛去將她小哥火化，在她小哥的單身公寓裡，守著骨灰，等她父母從台灣來。骨灰燒得極細，像細沙，顏色是不甚純淨的白，裝在一個透明的塑膠袋裡，再由她挑選的木盒盛著。她整夜無法闔眼，坐在她小哥的床上把玩骨灰，她把五指插進去，再伸出來，看骨灰從指縫間流走，直到窗外透進曙光。那是她第一次了悟肉身之物化，之不滅，之永恆性，相形之下，靈魂反而是脆弱的，再也不知道魂去何處了。

『我有三個哥哥，但是只跟小哥親，我來美國也是因爲他。原來一起在加州唸書做事，結婚後才搬到紐約。』水雲小聲說，『小哥一死，我大半的過去也就跟著死去了。』

嚴塵聽畢，在水雲頭上連親兩下，僅能做到如此，語言無用，所有的感動和感激都只能存在心底，因她經驗過的死亡感動，因她把如此深沉悲哀對他傾訴而感激，所有這一切一併存進心底。

墓園裡颳過一陣風，吹起地上幾片枯葉，略顯秋寒。釘牢墓碑是最後工作，某人，某年某月某日至某年某月某日，簡單記載生存日期。追禱的人群漸散去，嚴塵總是建議大家不用立碑，採用銅片釘躺在地皮上較精簡美觀。建議而已，不堅持什麼，青谷墓園裡的墓碑立臥都有。新來的員工阿林走到嚴塵旁邊說，『我看這裡墓碑多半躺著，不怕被大家踩到嗎？』

『誰要故意去踩它？』嚴塵忽然懊惱，『墓碑不是給活人看的嗎？站一大堆墓碑看起來討厭！』

嚴塵決定下一座山谷，怎麼釘墓碑要完全按照規定來。他心裡猶自氣惱，也不知惱些什麼，只模糊覺得一向太遷就天底下每一個人，好像每一個人都比他重要，比他有分量，眞是再氣惱不過。他順步走進旁邊的樹林，心情漸漸平服下來。這一面樹林有一大叢一大叢及人高的藍梅子樹，這時藍梅子爛了一地，嚴塵近前略檢視，見樹上所剩不多的藍梅子，採摘下來仍可裝一兩籃。今年夏末，菲力浦竟忘了採梅子，大約新添的員工使他感受到壓力。從前，這是阿蓮的工作，阿蓮的藍梅子多半用來醃製果醬，據說可以治久咳和胃潰瘍。嚴塵喜歡把藍梅子在冰庫裡凍起來，吃一顆顆凍果子，味道不錯；種一棵果樹的確有神奇的效果啊。

然而，阿蓮所謂各種草藥各種藥效，嚴塵多半不予置信，不過知道是無害的，任由她玩無妨。

16

服務台裡，阿林正在整理帳目，菲力浦硬要幫忙，嚴塵見他實在礙事，過去支開他，囑他去樹林裡採藍梅子，並勿忘下班時帶一籃回去給他姑媽。

菲力浦有點難過，因爲被嚴塵支開，當聽說要帶藍梅子回去給姑媽，才有笑臉。他這點情結，早在嚴塵掌握中。帶藍梅子給姑媽，使菲力浦面上有光，正好彌補其他上面的不足。關鍵就在面子問題，說穿了實在薄弱得可憐，只有菲力浦如此死心眼者勘不破。其實臉皮厚的人反倒處處逢凶化吉，就難受各種束縛，其束縛只折損自己，未必利人，或者謀到利的竟是敵人，再傻不過！譬如，那天如果劈口直問水雲，跟愛爾蘭人睡過覺沒有？早就眞相大白，何用爲一點男性自尊，在這裡活受罪的苦苦猜測。如果水雲另外跟人睡過覺，她必不再回頭，絕無復合的可能了。

嚴塵發現自己遠兜遠轉，只爲放不開水雲，躊躇再躊躇，終於過去打電話。一捉過電話，他的心竟瑟瑟的抖起來，實在毫無把握啊，而且，有什麼話可說呢？再多的話，也不過是空談而已，然而，怎麼可以這樣想？這電話非打不可。趕緊做一個深呼吸，不行，還是不行，嚴塵放下電話，再做一個深呼吸，這一下卻乾脆心涼到底了。他有什麼吸引人之處？還是由水雲自去尋找幸福吧。這麼想著，嚴塵朝另一面樹林、家的方向走去，如果那也算家。他簡直想痛哭一場。

春日清晨，阿蓮忽說她要走了，她的花粉熱在春天的樹林裡犯得格外嚴重，她原來每年吃藥，藥多吃後不再起作用，改成每隔兩日到過敏科診所打一針，身上因此佈滿針孔，阿蓮自己的草藥治過敏無效。而西藥是有副作用的，她的肝臟已受損害。

阿蓮還不知道要去哪裡，自然也無法告訴嚴塵。她僅帶走兩皮箱衣服，如此而已。嚴塵送她去灰狗車站，看她朝南方走，臨行兩手一下緊握，眼裡乾枯的望著遠方。嚴塵當她春去即回，故無言語。而那已經是四年前的春天。嚴塵在同年秋天遇見水雲。

回到家裡，嚴塵一時也不知做些什麼，逕自進入廚房，冰箱裡亂堆的食物許久沒有清理了，多半已日久腐爛，他一股氣掏空，竟裝滿兩大紙袋。再拉開櫥櫃檢查乾糧，門裡貼一張紙，阿蓮在上面密密麻麻寫著食譜，和洗衣店、銀行、保險公司、修車行的電話號碼。美國的紙張眞好，四年了，一點沒有泛黃，仍然潔白如新。嚴塵讀著上面的食譜，一、無骨去皮雞胸肉一份。二、兩大匙橄欖油將雞胸肉煎黃。三、新鮮草菇或者番茄切片或切碎。四、倒進煎熟的雞胸一起燜炒。五、酒（如用草菇）或檸檬汁、鹽、胡椒粉最後撒上。阿蓮保證，她留下的食譜十分鐘內可以開飯。嚴塵可不這麼認爲，他從沒有按照食譜做過飯，可是，每次讀著食譜，心裡就有點酸酸的、酸酸的，對阿蓮無盡懷念。

他自己有一套燒快餐的方法，比阿蓮的食譜簡單，開一個黑豆罐頭，跟兩條熱狗切片，一起熱透之後，撒一點生洋葱末和檸檬汁，就是一頓晚飯。眞饞起來，就下山到中國餐館吃。飯後，照例看電視，偶爾，像今夜，心情無端的沉重，只想倒向床上。他的床褥太久沒有換洗，太亂，於是打開隔壁主臥房，到大床上躺下。床側有一扇壁櫥，剛搬來那年，嚴塵買過一瓶第凡內的香水送阿蓮做結婚週年禮物，後來不知怎麼，香水在壁櫥裡整瓶打翻了，從此一開壁櫥，立刻香氣襲人而來，近十年了，仍有餘香，且因變淡了，反而更像阿蓮身上的氣味。阿蓮走的時候，有意消滅她生活過的痕跡，屋裡一件她的衣物也沒有，只有無意間留下的香氣，和她手寫的食譜，從來沒有離開，很巧，分別都在櫥櫃裡，無聲無息的，可是，確實存在。

主臥房的地勢較高，窗外沒有群蛙聚集，安靜多了。然而，窗簾密閉的房間裡，漸漸有點響動，嚴塵感到是阿蓮浴後悄悄到鏡前梳頭，極小心的不弄出聲音，以免吵醒嚴塵。其實，嚴塵特別喜歡看阿蓮頭髮濕濕的在腦後梳齊，臉上一點脂粉不施，顯得異常素淨年輕的樣子，格外動人。嚴塵不禁嘆息，阿蓮一驚，飛快的回頭看嚴塵，她的白色浴袍過大，原本單薄的身體於是在裡面消失掉，而臉上和頸間猶滴淌著水珠。『水雲走了，水雲走了。』嚴塵喉嚨裡咕嚕出聲。阿蓮只是吃驚的看他，待領會得他的意思，唇邊微牽起笑紋，小聲噓他不要作聲，然後，掩身退到門外。嚴塵一下坐起來，大聲喊，『阿蓮！』屋裡暗沉、靜悄悄，只聽窗外樹林裡拔尖的鳥啼，破空而過。

薇琪失蹤後，阿蓮四處找婦產科醫生做體檢，卻怎麼也不再受孕，阿蓮為此十分傷心。嚴塵不明白她為什麼把兩件事連到一起？好像只要再生一個孩子遞補薇琪留下的空缺，從此即無遺憾。就嚴塵而言，薇琪失蹤和另生一個孩子，完全兩回事，沒有任何孩子可以代替薇琪。『不是代替的意思。』阿蓮苦惱的欲言又止，當然，既不能再受孕，一切也就不值得追究了。

青谷墓園開張頭兩年，也許因爲興奮，他們夫妻感情格外稠膩。阿蓮幾次微嘲弄帶撒嬌的告訴嚴塵，『我現在是賢妻吧，討人嫌的妻，沒有母親身分的妻，一定討人嫌棄吧。』嚴塵安慰她，『等薇琪回來就好了，薇琪一定會回來。』然而，嚴塵並不永遠有那樣好心情安慰人。後來，他再無興趣討論這種問題。有一回，阿蓮在床上試探的說，『就算是夫妻，性交也可以不是爲了傳宗接代，可以是尋感官刺激，尋開心，這兩樣你都得到了嗎？』口氣裡滿滿的挑釁，嚴塵用沉默擋架著。也不曉得是誰比較殘忍，也許，這也是人禍的一種，惟勢均力敵的互相摧殘著。

根據阿蓮的敍述，薇琪離家當天的經過如下：

嚴塵八點出門上班後，阿蓮開始催促薇琪穿好衣服、吃早餐，然後把她送到托兒所。阿蓮五點下班即去接她。薇琪那天穿藍粗布背心，背心裡白色印粉紅兔寶寶的短袖T恤，阿蓮見她肩膀上擦髒了一大塊，問知在後院沙坑上玩的時候，被珍妮推倒的。『妳哭了嗎?』阿蓮小心問。

『哭一點點。』薇琪不好意思的答。

『會痛嗎?有沒有受傷?』阿蓮蹲下去檢查她身上，托兒所的瓊絲太太過來慰問，『嚴太太，薇琪今天早上在沙坑旁邊摔一跤，我檢查過她，沒有摔傷。薇琪說是珍妮推她的，我們已經叫珍妮道歉了。』

『薇琪是乖女孩，請妳一定要把她編在最聽話的小組裡，確定裡面沒有會欺負人的小孩。』阿蓮不放心的說。

『這一班孩子都很好，珍妮只是一時失手，眞的是意外。』瓊絲太太撫摸薇琪臉頰，說了一些安慰的話。

阿蓮牽著薇琪的手離開托兒所，走在斜陽西照的人行道上，聽薇琪報告小朋友間的趣事。學校離家五條街遠，走過兩條街就是一棟棟公寓大樓，住的是中下收入的白人，間雜幾家東方人、印度人、黑人、南美人。阿蓮最大的希望是，早日存夠錢到較上層的社區買棟小房子，安居樂業。她在心裡把銀行存款略條理一下，說不定可以開始注意房地產行情了，她高興的搖著薇琪的手，『將來我們搬到一個好社區，薇琪就可以上一個好學校。』

『學校好玩嗎？學校裡面有什麼東西好玩？』薇琪搶著問：『有這麼大的micky mouse嗎？這麼大！妳看。』

『有、有。』阿蓮點頭。她和嚴塵加起來的收入，如果按照白人的方式過日子，絕無可能有存款，可是，中國人就做得到，而且，她一家人過得並不寒傖。她的一位洋同事說，中學的教科書裡，介紹到中國人的時候特別強調，這個民族『very carefull with money.』阿蓮每次一想到，就忍不住好笑。薇琪仰臉看她，只當阿蓮在聽她說話，更加興高采烈的說個沒完，阿蓮真後悔沒有仔細傾聽，如今是想聽而不可得了。

17

那天回家，阿蓮先替薇琪脫下髒衣服，要她換上短褲和T恤，薇琪愛美，堅持要穿一件新白紗洋裝，阿蓮一再說明，白紗洋裝只有洗過澡要出門參加Party才穿，薇琪那天卻異常執拗，阿蓮趕著要燒飯，只好放棄爭執，但是不許薇琪吃點心，以免弄髒衣服，薇琪一口答應了。眞是憾恨啊，如果早知道，那是薇琪在家裡的最後一天，何至於讓她空著肚子離開？阿蓮念及此，禁不住掩臉慟哭失聲。

見薇琪最後一眼，是阿蓮在廚房裡洗洗切切，懊惱的發現鹽罐子空了，薇琪在客廳看電視，大約因爲餓，進廚房東張西望。阿蓮嘀咕，『媽媽忘了買鹽，要先下去買鹽才能燒菜。』

『我下去買，我要跟茀姑妮買鹽。』

『媽媽跟妳一起去。』阿蓮埋頭切肉絲，一邊說。

薇琪卻蹦跳起來，『我自己去買！我會自己去買！』

他們的大樓底下，就是一家印度人開的雜貨舖，老闆娘是個胖胖的印度女人，薇琪很喜歡她。阿蓮想到，薇琪只要乘電梯到底樓，從邊門就可以進雜貨舖，根本不必走出大樓，薇琪也有過幾次單獨下去買東西的經驗，於是放心的交給她一塊錢，囑她快去快回。『媽媽等著炒菜。』

薇琪嘻開臉，好大一張笑容的滿口應允著，趿上小布鞋，轉身就出門了。心肝，她的寶貝女兒從此一去不回。她應該一頭撞到牆上死掉！一頭撞死掉！是她的錯，是她粗心到讓一個四歲的女兒出門替她跑腿。如果她那天一起下樓，就沒有這種事了。薇琪的失蹤，是她的疏忽造成的，如果薇琪死了，她就是兇手，是的，她就是兇手。老天啊，不要讓我做兇手，拜託不要讓我做兇手。阿蓮嚶聲啜泣。

阿蓮把準備工作做完，薇琪還沒有回來，猜想雜貨舖裡生意忙，需要排隊。順手就把早上留下的髒盤碗一一清洗了，忙弄完畢，見薇琪竟還沒有回來，到樓下買罐鹽要花半個鐘頭嗎？半個鐘頭！她一驚，光腳丫就到底樓，推門進雜貨舖，只見苐姑妮一人無聊的坐在錢櫃後面，她先生在店後面補貨，『薇琪呢？她來買鹽到哪裡去了？』阿蓮急問。

『我沒有看到薇琪。』苐姑妮說完，又向她先生求證，她先生也沒有看到薇琪。

『多久了？』苐姑妮熱心的問，阿蓮睜圓眼大聲答著『半個鐘頭！』苐姑妮的先生要陪她到每一層樓找，『會不會跟其他小孩一起玩去了？』阿蓮飛也似奔進樓梯間，把管理員找來、警察找來，終至把整棟公寓的人統統驚動。她的世界在一剎間紛紛碎成粉末。

嚴塵下班回家，推門見家裡站四個警察，一個對著大本子正在登記，『六點出門的，嗯，大概五點四十，五點五十吧。』阿蓮慘白臉，自制的答覆問題。

嚴塵在樓底下已經略知一、二，猶急問：『薇琪哪裡去了？』問向阿蓮，又問向警察。

『不曉得哪裡去了。』阿蓮一下洩氣的哭出來。

警察走後，嚴塵換下西裝，到每層樓梯間重新找過，阿蓮跟在後面，先從地下室的洗衣間找起，阿蓮驚愕的看嚴塵檢查每一台洗衣機、烘乾機，又到每一層樓梯後面的小倉房掀開大垃圾桶，『怎麼會……？』阿蓮顫聲問。嚴塵逕自到處翻找，他氣憤多於傷心，簡直恨不能把阿蓮摔到門外，再不讓她進來。嚴塵絕不原諒她！雖然他僅紫脹著臉，悶聲不響。

而時間，永遠是最好的止痛劑。

阿蓮有阿蓮的好處，她強韌得好像天生要在逆境中存活。嚴塵因爲跟同事間格格不入，或對工作不帶勁而經常失業，阿蓮不但從無怨言，而且認爲，嚴塵只是一時懷才不遇，將來必有成就，深信不疑。這點，最得嚴塵感激。

嚴塵有一年在保險公司做事，做滿一年因業績欠佳而遭革職，那天提著公事包，一步挨一步回家。阿蓮帶薇琪在窗口，老遠望見他過街，母女倆趕下樓迎接。嚴塵發窘的把壞消息告訴阿蓮，阿蓮毫不動聲色，依舊笑容滿面說，『沒有關係，我看保險公司的工作根本不適合你，做得太辛苦了划不來，我早就想告訴你的。』

『阿蓮！』嚴塵躺在床上無聲呼喚，『阿蓮！』他翻身側躺，感到枕上忽就一片濕熱。他跟阿蓮說過一次『我愛妳。』用英文。那是新婚期間被阿蓮逼的，卻也只能用英文，而且，從此沒有再說過，即使用英文。某次，跟蓋瑞在墓園裡閒走聊天，遇見一家上墳獻花的人，過來跟嚴塵擁抱，交換著『你眞是好人，我愛你，我愛你。』的溫暖言語。嚴塵一回頭，蓋瑞即笑道，『我看你連對水雲都沒有這麼親熱。』

嚴塵笑，『中國話沒有我愛你。』

『猶太人也很少，』蓋瑞用手作勢比劃著，『所以我不跟猶太女孩結婚。』

如果心裡面的話，不能用言語淸楚表達，要語言何用？嚴塵在黑暗中對著天花板大聲喊：『阿蓮我愛妳！』見屋裡毫無動靜，續喊一次，『阿蓮我愛妳！』

嚴塵名為尋找薇琪，卻形同自我放逐的三年期間，不知道阿蓮怎麼過的？他說走即走，無訊無息三年忽又回來，阿蓮猶笑臉相迎。嚴塵認定阿蓮自覺理虧，故無怨尤。

『阿蓮我愛妳！』他聽見他自己的聲音，在四壁間彈跳碰撞，不成音韻。阿蓮站在新公園水池邊，最初幾次約會就在那裡，阿蓮白衣黑裙，短髮攏在耳後，新公園裡在大白天就有一對對抱在一起熱吻的情侶，『我們不要開同樂會。』是他伸手拉阿蓮，而阿蓮猶自一動也不動的站在那裡，稚氣的望向嚴塵——阿蓮妳是好女孩，妳眞是好女孩。嚴塵不懂爲什麼他們之間會沒有幸福？

有一日嚴塵天未亮即醒來，見廚房裡燈亮著，阿蓮已經燒開水，正在沖即溶咖啡，回頭招呼嚴塵，『我整夜睡不著覺，看天快亮了，乾脆起床。』說著，又多沖一杯咖啡，端到小桌上給嚴塵。阿蓮已經有好幾年不再燒煮咖啡，因不喜空氣裡有任何食物的氣味。他們在廚房裡裝一個很大的抽風機，難得阿蓮炒炸什麼，除抽風外，必敞開門窗，即使嚴冬亦然，務必使空氣保持空氣的原味。阿蓮在嚴塵的咖啡裡加了奶精和蜂蜜，她自己只喝黑咖啡，小口小口的喝，偶爾拿餐紙拭杯緣和唇角。阿蓮有潔癖，除了把家裡的廚廁刷洗得絕對乾淨外，地上有點灰塵，也會使她坐立不安。嚴塵看她端著咖啡的手和潔淨的指甲，因過度使勁而掙得發白。『爲什麼整夜睡不著覺？』嚴塵問。

阿蓮苦惱的說，只是無緣無故睡不著。嚴塵告訴她，前幾天有一夜，因下午喝多了咖啡而睡不著，結果起來看一會書又看電視，直到快天亮了才睡下。『妳一直閉著眼睛躺在床上嗎？』嚴塵不由得好笑。

阿蓮放下咖啡，兩手蒙住臉揉搓一會，抬起微紅腫的雙眼說，『我在想用什麼方式去愛別人的孩子，只要是孩子，我就愛他。不必要是我的孩子，不必要是我的這個，我的那個，爲什麼一定要是我的？』

嚴塵聽了，脫口答，『把妳賺的錢捐給慈善機構嘛。』其實那話裡很有幾分眞心，阿蓮卻只聽出其中嘲弄的部份，悻悻的站起來，轉身回臥室。嚴塵自覺沒趣，亦不想回頭睡覺，穿上衣服即出門了。也許因爲屋裡的燈光打攪鳥們的清夢，一時鳥啼聲四起，連烏鴉亦醒來啞聲呼喊，飛過樹林。

山谷裡破曉之際，也跟它霧濕的夜一樣撩人，空氣裡不知怎麼泛滿腥氣，嚴塵撥開枝椏尋找腥氣的來源，身上霧濕大片，終至發現那股腥氣，來自腳底下的泥土，沿及樹根、草根，對著空間噴吐腥香的氣息。墓園裡猶有四出游蕩流連忘返的魂魄，總要拖至太陽迸射的一霎，才驚慌的哀叫著，四竄遁形。

18

嚴塵在服務台裡，撥電話到康州全國兒童失散中心，十三年來，中心裡的人已經熟悉他的聲音，他從最初的親自報到，加上每天一兩通電話，到一星期一通電話，兩星期一通電話，一個月一通電話，以至於目前半年一通電話。而永遠是同樣的對答，『請問我女兒的失蹤案，有沒有新的進展？』接著機械的報出薇琪・嚴的失蹤日期和地點。『目前還沒有新的線索，我們會把尋人啓事繼續發送出去。』

『已經十三年了，還有效嗎？』他矯情的問。

『我們沒有見過薇琪的屍體，所以相信薇琪還活著，絕不放棄找尋，對不對？』這原來是他的話，這幾年反過來由對方覆述給他聽。電話裡的女聲繼續說：『本中心因發送尋人啓事而找回來的孩子，到目前爲止已超過六十五名。請不要灰心。』

嚴塵擱下話筒，面對窗外的墳場，淸楚感到胸腔裡一顆心沉沉的往下墜，所有他經歷過的痛苦，都會因時間而淡化，惟有薇琪失蹤這件事例外，他心上的刀疤永不會復元。薇琪這時應當在山下的高中裡唸書，偶爾跟嚴塵抱怨，『爹地，這個山谷裡面太寂寞，我們搬到城裡好不好？』

『寂寞不能算理由，沒有哪一個地方不寂寞。』嚴塵回答，『除非有實際的困難才搬家。』

『實際的困難有呀，這上山下山很辛苦吔。』薇琪跟父親撒嬌。那麼，嚴塵會不會因此搬家呢？嚴塵猜他會的，他會因爲薇琪搬家，只有薇琪能夠使他離開這片墓園。

嚴塵感到菲力浦和阿林在背後望他，菲力浦知道嚴塵打完這種電話，要一個人靜默半晌，不接電話，不見任何人。嚴塵回頭，三個人交換過眼光，阿林於是報告，『施工的人今天不能來，要過一個星期才來開工。』

總是會遇見困難！分明預計好的事，錢也照付了，還是會遇見困難。嚴塵沉默著到下坡停車場開車，翻過後山，一片已經剷平的黃土，呈現眼前，他盲目的開幾圈，讓車輪在上面輾過。空曠的山谷裡，日影靜靜直射而下，沒有蟲鳴聲，亦不見鳥影，汽車的聲音在光禿的山谷裡因此格外響亮。

嚴塵熄掉引擎，下車來回走著，慢慢跑起來，這一片土地難道不因爲是我的，才顯得更可親可愛嗎？阿蓮所謂爲什麼一定要是我的這個、我的那個？究竟發的什麼囈語？難道，她可以不必是我的妻，我可以不必是她的夫，是這個意思嗎？嚴塵停下腳，闔上眼把阿蓮用心看一回，猛然搖頭，不對，不好在文字上吹毛求疵的亂作文章冤枉阿蓮，阿蓮是一個單純的人，『一個單純的人。』嚴塵嗬嗬笑起來，一甩手，鑽回車裡，又踩足油門連開三圈，等這一座荒涼的山谷，轉變成綠草如茵的墓園，一定要把阿蓮找回來看看。他的成功，需要有阿蓮做見證。

嚴塵回到服務台，阿林帶一家人正在挑選墳地，他已能接替嚴塵許多工作，詹先生在裡面跟菲力浦閒聊，一見嚴塵進去，即指著菲力浦說，『我居然不知道這裡有這麼一位Bird Observatory，你這裡臥虎藏龍，不得了呀，由你帶領兩位得力助手，那個新來的員工，我剛才看他跟顧客應對得體，而且也能把握人的心理，你如虎添翼喲要行大運！』

嚴塵聽得高興起來，誰說會拍馬屁的人虛偽？像這位詹先生有什麼理由要來奉承我嚴塵？自是看重我之故，被人看重能夠不知感激嗎？嚴塵親自倒咖啡端過去奉上，卻喜極微窘的不會對答，詹先生一頓，體貼的轉換話題，指著菲力浦說，『他不知道毛澤東敲鑼殺麻雀的故事，我要說給他聽。』

嚴塵微微一笑，聽詹先生說麻雀可惡呑吃五穀，毛澤東於是勒令全國老百姓日夜敲鑼，中國十億人口佔盡便宜，可以輪番上陣，鑼聲密佈如天羅地網，使麻雀惶惶終日，無處歇腳無處停留的不斷振翅在空中飛翔，直到筋疲力竭，墜落而死。詹先生說到這裡，三人同聲哈哈大笑，『這是毛澤東最擅長的土法煉鋼。』詹先生說，『這次的土法煉鋼不做工喲。』死了麻雀，留下蝗蟲爲害，因麻雀吞吃五穀的同時，亦吞吃蝗蟲。三個人又笑起來，菲力浦可憐麻雀，第一個止住笑。

然而，土法煉鋼也有行得通的時候，嚴塵調侃，十年前滿地狗屎的紐約街頭，koch整頓市容的方法，不過是令蹓狗的人在後面把狗屎撿掉。這是土法煉鋼裡的高招，『一試即靈。』嚴塵笑，『從前我太太搞什麼天然草藥，也是土法煉鋼，也一試即靈。』

詹先生豎起耳朵聽，嚴塵這才發現他是第一次在詹先生面前提到阿蓮。果然，詹先生小心的說：『我頭一回聽你談到你太太，她在哪裡？』更小心的問。

『太陽底下某一處地方。』嚴塵故作瀟灑的唸。詹先生立刻會意，嚴塵對他詭笑，慢慢掏出煙來抽，詹先生亦抽起來，一邊說，『已經戒了三年了。』嚴塵斜睨他一眼，『罪過，害你破戒。』

『是我太太的意思，女人家都想長命百歲。』詹先生噴出一口煙，幸福滿滿的說。嚴塵忽然看不慣他那副嘴臉，掉頭走到屋外，詹先生夾腳跟上。兩個人對著墳場默默抽煙，阿林面帶喜色的迎面走來，向嚴塵含笑點頭後，匆匆進服務台，嚴塵知道剛才那一家人已經成交，另外新到一男一女，正等在停車場前面，阿林一出服務台，即匆匆趕去。『阿林就是性急慌忙了一點。』嚴塵望著阿林的背影說，把熄掉的煙頭丟進身後的草叢裡。烏鴉在頭上低掠而過。

『中國人在這裡開墓園的，你不是第一個吧？』詹先生在旁邊問。嚴塵想了一會，低聲應，『大概不是，之前有老廣做過吧，廣東人保守得很，大概死後也不找洋人。』『不做第一個就對了，』詹先生故作神秘的笑笑，『第一個都是烈士，所謂開路先鋒是爲別人開路，不是爲自己呀。』

嚴塵聽得好笑，又點上一根煙，再遞過一根給詹先生。山谷裡移過烏雲，大朵大朵遮天而過，谷中一下陰沉，稍及復見天日，然而下一趟吹過來的風，遂轉陰涼。

『我太太要去加州照顧兒子。』詹先生說。嚴塵停下抽了一半的煙，靜待下文。『兒子好得很，並不需要她操心，可是我太太就是放心不下。我說去就去吧，將來兒子討了媳婦，她自然打退堂鼓。』嚴塵覺得被他在臉面上又啐了一口似的，又是驚又是羞惱。『小心他用的到底不是自己的心臟，自己的跟別人的差別很大。』嚴塵警告。

詹先生的臉立刻灰敗下來。嚴塵乘勝追擊，『想想看那顆心臟的原主人，這時候在哪裡？』說完，卻逕自心痛，不及掩飾的兩手抱心，臉上因痛楚而歪扭著，待額頭冒汗，疼痛才漸消除。聽詹先生說，『三十萬換一顆心，並沒有白拿……』

嚴塵氣極揮出一拳，一邊罵，『收購贓物是枉法！』

見詹先生向後連跌三步，朝地上吐一口血水，這才抬起半邊紅腫的臉看嚴塵，『到底哪一句話冒犯你了？你動手打人算不算枉法？呸！』一口血水吐到嚴塵腳跟前。嚴塵轉頭朝樹林裡大步走去，聽詹先生在背後喊，『我還要問你收購贓物指的什麼意思！』

19

嚴塵下山到小鎮裡的圖書館找舊報紙，他記得是年初看到的消息，從一月份找起吧，他轉動螢光幕，兩眼緊盯住影像，螢光幕上的報紙一頁頁翻過，二月、三月、四月，四月一日、二日、三日、四日、五日，唔，一九九四年四月五日，國際新聞版『瓜地馬拉四月四日電——此間盛傳美國人來此綁架小孩，切除他們的內臟後，運送到美國做器官移植手術用。此間已經有三次觀光客和外國人被暴民攻擊的案件，最近被擊打成傷的，是一個五十二歲阿拉斯加來的女人。附近居民相信，她綁架了他們一個小孩。

因情況日趨嚴重，美國領事館已招來兩百名義務工作的安全人員在城鄉保護他們。美國官方警告美國人，如非必要，勿涉及此地。

關於美國人來此竊取小孩內臟的謠言，據猜測是政治因素造成，由於此地人民極度欠缺安全感所致。內戰後，有十萬人死亡，約有四萬人失蹤，使此間領導人失信於百姓。

該名阿拉斯加女人瓊．宛塔克，現在瓜地馬拉醫院裡，她兩臂斷折，頭骨破裂。宛塔克在一名當地女人聲稱，她八歲的兒子失蹤後，在北方一個叫聖克里斯托保維拉佩茲的村莊裡，被暴民捕獲。該名失蹤男童稍後被發現。』

嚴塵當初相信這條消息的後半段，現在反覆細看，一次又一次，越看越對前半段消息深信不疑。這使他像溺斃的人，在屢次的枉然掙扎後，終於墜向虛空的虛空，滅頂。

他把報紙複印了幾份，才走出圖書館，兩腿軟綿綿的幾乎不聽使喚。十月天，午間的太陽略顯疲軟，街上不時揚起一陣風，由遠處呼呼吹過來。他拉上薄呢夾克，最近老是有點畏寒，胸肝骨摸起來微感疼痛，尤其躺下的時候，尤其側躺，躺向右邊，胸腔裡心臟就沉重的墜向右邊，躺回左邊，心臟又沉重的墜向左邊，牽扯的疼痛著。也許，他需要找個醫生了，他記起來，他在法拉盛有一個行醫的同學，正好是內科，過兩天該去找他看看。

他差點被一輛紅色跑車撞上，跑車尖聲吱叫，緊急煞住，嚴塵這才發現已經脫離人行道，太接近路中央了，車裡的洋女孩欲罵不罵的睨他一眼，一踩油門，揚塵而去。

『小心滿街都是這種瘋狂的駕駛員！』人行道邊一個老者，用手杖指著去遠的跑車喊，火氣之大，不下於盛怒時的嚴塵。年紀的增長，未必造就慈眉善目，徒然心死而已。少了阿蓮、少了水雲，他依舊活下去，少了薇琪，啊，少了薇琪不是也照樣活過來了嗎？然而，這般想著，心卻又瑟瑟的顫抖著，帶點牽扯的痛向下延伸，胃裡一陣痙攣，還好已經挨到他的車邊了。

他不想回墓園，這時開車去康州兒童失散中心，回家必在深夜，他一下猶豫，但，還是決定立刻前往，正要發動引擎，忽見車窗外人行道上，一個男子走過，嚴塵忙鑽出車去，大聲叫住他，那是地方報的記者，去墓園爲嚴塵登的廣告設計過，回頭見到嚴塵，即含笑近前，嚴塵怕他脫逃似的趕著說，『我要提供給你一條獨家新聞，在某一處有一棟大白房子，裡面關滿了偷來和綁架來的孩童和年輕人，白屋裡有手術枱，應需要隨時把人開膛剖腹，把內臟高價出售。白屋外面的空地上有一座焚化爐，無用的肢體就被丟進裡面燒掉。這條新聞一定會使你一夜成名。』

記者閒閒的聽完，笑說，『這是懸疑小說的題材吧，故事不錯，但是不能當新聞。我現在有點事，改天去拜訪你。』

嚴塵陷入沉思，又隱隱感到心臟和腸胃都在牽痛著，好像正在掙扎要從固定的位置上脫落掉。

他略整理思維，等一下需要換一個方式表達，否則可能被誤以爲想女兒想瘋了，而被送去精神病院。

汽車在公路上飛馳，他胸腔裡仍然痛一陣歇一陣，十年前奔赴同一地點的時候，也是一路疼痛著，那時候主要是胃疼和腸子絞痛，他一向並沒有這些毛病，後來才聽說是情緒造成的。他還是相信薇琪可能活著，薇琪太嬌弱了，她的五臟可能不適合任何人使用，是的，她的五臟一定不適合任何人使用，明眼人一眼即看出來。

嚴塵按址找到兒童失散中心，把車停在門口一棵橡樹下，微風吹過，落一地黃葉，街上有點冷清。嚴塵推門進去，見一個年長的男人和兩個年輕女子在裡面，嚴塵逕自朝看似帶頭的男人走去，『我是薇琪．嚴的父親，十年前我是這裡的常客，那時候有另外一組工作的人在這裡。』

『啊，我們下個星期要把薇琪的尋人啓事再發送出去一遍，已經準備好了。』女孩在他背後說。

嚴塵回頭謝一聲，慢慢掏出複印的報紙，一邊在男人前面坐下，一邊說，『請你先看完這條消息。』

男人於是低頭看報，屋裡一時寂靜無聲，嚴塵不安的站起來，在男人身邊來回走著，兩眼瞪著虛無。

男人抬頭望嚴塵，大概男人的工作使他看多了失蹤兒童的家長，臉上淡極無表情，嚴塵跟他對望，一點一點加深的灰心，使他驚恐的感到精神錯亂，嘴裡焦渴的問，『你有沒有看出點什麼？』

『這是謠言，報上說得很淸楚，是謠言，而且已經是半年前的新聞了。』男人說著，閒閒的闔上報紙略往前推還給嚴塵。

嚴塵箭步上前揪住他的衣領，『我來回要開八個鐘頭車子並不容易，你不可以用這種態度看待這件事！』

『請把手放開！』男人微動怒。

嚴塵放開他，卻咄咄逼人的說，『美國每年有三萬五千人需要器官移植，而換一顆心要價三十萬，這麼大的需要量，這麼高的價錢，怎麼會沒有人鋌而走險？』

男人緩下臉色，閒閒的說，『你的意思是有人綁架小孩做器官移植用？我告訴你，不僅我不相信這種話，你出去說給人聽，沒有任何人會相信。』

難道只是個人的幻想？嚴塵呆楞在那裡。那棟大白房子和焚化爐呢？它們一次又一次在他的夢境裡浮現，難道毫無意義？『你可以盡點力的，』嚴塵懇求，『想想看爲什麼每年有那麼多兒童失蹤，那麼多年輕人失蹤？你們號稱找回來六十五人只是很少的少數，其他那些人都哪裡去了、怎麼消失掉了？你知道綁架一個人並不難，只要靠近他打一針就完蛋了，替那些無辜的人做點事嘛，你也拿薪水呀，不要坐在這裡不做事嘛。』

男人忍耐的看他一眼，『我們每天忙些什麼不用談了，還常常要應付像你這樣的親屬，也不容易喲。』說著，站起來拿過帽子戴上，『已經五點了，走，出去喝一杯，我請客。』

嚴塵搖頭拒絕，逕自離開。才一會工夫，停在橡樹下的車子已經覆滿黃葉，晚秋的風蕭蕭吹過，近前看車頭，竟淋一灘鳥屎，嚴塵喪氣的拉開車門，車頂上紛紛落下黃葉，有幾片落進座位裡，嚴塵沒有拍拂就坐下了。他有點想留在小鎮上過夜，可是車子已經開出高速公路了，也許，在半路上，等天整個暗下來之後再說。深夜經過一個無名小鎮，在它的小旅社落腳，向來對他具有吸引力。

他發現胃裡空空盪盪的十分空虛，卻毫無食慾，也許，就是一路開回去吧。他胸腔裡的五臟，這時又隱隱作疼起來，幾近無力掙扎的疼痛著，因爲每一副器官都快要脫離原位了。他實在沒有在人前人後激動的理由，已經十三年了，唔，十三年前想的是，薇琪被送到一對無兒無女的白髮老公婆跟前承歡膝下，當然，是一場銀錢交易，然而薇琪並不匱乏什麼的活著，有一天終將回來。嚴塵甚至於看得見那對老公婆的模樣，一個退休的銀行家，和一個退休的女教員，『乖娃，妳叫什麼名字？』女教員一隻膝蓋落在地上，執起薇琪的手問。

『我叫薇琪，我要回家。』薇琪怯怯的答。

女教員於是在薇琪手心和手背上分別親了一下，『薇琪，這裡就是妳的家，我們殘餘的人生要用來全心全意的愛護妳。』說著，眼裡閃出淚光。

這就是十三年來，他按照他的希望繪製的圖像，礙著什麼人了嗎？爲什麼那些人不讓他繼續抱同樣的夢活下去？

20

樹林後面的白屋很大，有無數個迴廊，每一個迴廊由無數根圓柱拱著，迴廊裡面大扇門窗緊鎖，窗格子後面張著一雙雙晶亮的眼睛，望進前方濃密的樹林裡，再扭頭互相對望，無聲的問著，『前途在哪裡？祭物的前途在哪裡？』也許在供桌上擺出一個完美的姿勢，就是最好的收場。

薇琪到後面小房間裡，看那個剛到的二十四歲男人慢慢醒轉，職業性的遞過去一杯水，聽男人問，『這是哪裡？我怎麼到這裡來的？』薇琪早就聽膩這一套話，未予理會。男人喝下水趁她接空杯的當兒捉住她一隻手臂，五指深箝進她的肉裡，『告訴我這是哪裡？哎喲！』男人鬆開手，又昏躺過去。薇琪站在床邊，等他第二次醒轉，看他灰褐色的眼珠疑疑惑惑的盯住薇琪，終於說，『我記起來了，他們給我注射了一針，唔，在這裡，沒有錯，是被他們注射了一針。』男人拉高衣袖，給薇琪看上面的針孔。

薇琪輕噓出聲，示意他不要說話即退出房間，鎖上。外面走廊盡頭的大客廳裡，或坐或站滿滿的人，互相依偎數頭上的日影。薇琪在面對小房間的窗前站住，她並不確實清楚，十幾年來，這棟白屋裡究竟不斷在上演些什麼？這時見兩個男護士開鎖，走進小房間裡，門在身後關上。裡面不久即傳出打鬥的聲音，薇琪皺眉嘆息，她知道只要有這種事情發生，那個二十四歲的男人，很快就會在空氣裡消失掉。門再開的時候，兩個男護士推著沉睡的男人出來，轉進另一面走廊。薇琪撫摸剛才被男人捉過的手臂，指尖深陷進肉裡的感覺猶自清晰，那個有一雙灰褐色眼珠的男人，怎麼可能一下又沉沉睡去？

月黑風高，薇琪換上黑色衫褲決定出去探險，她比其他那些人多出一點特權，有一把開關東廂大門的鑰匙，她彎下半截身子，摸黑沿著牆根走，夜風呼呼自耳邊吹過。北窗外，忽聽見裡面傳出金屬碰擊的聲音，薇琪探身向上，從微啓的百葉窗縫望進裡面，兩個她照過面的男人，正從長枱上一個剖開的腹部裡掏拿內臟，薇琪看不見長枱上的臉面，直覺感到，就是白天裡那個有灰褐色眼珠的男人。兩個人掏淨內臟後，用棉紙拭淨手，然後把鮮血淋漓成綑成綑的棉紙，統統塞進空腹裡。薇琪兩手緊緊捂住嘴，仍然禁不住哀叫出聲。『薇琪！快跑！薇琪！快跑！』嚴塵在睡夢中驚呼，猛然醒來，發現自己躺在黑暗中滿頭大汗，背上枕褥汗濕大片。他開燈從床上坐起來，窗外乾枯的樹林裡，烏鴉『呱——呱——』嘶啞的破空而過，被牠的長喙和有力的翅膀掃斷裂的枯枝，剝剝一片脆響。

嚴塵起床穿好衣褲，最近老是做同樣的惡夢，他簡直怕再闔上眼。他到廚房抽煙，窗外又傳進來枯枝因被撥動而斷裂的聲音，細聽像壁爐裡熊熊燃燒時的嗶剝聲，摧枯拉朽、玉石俱焚似的驚心動魄，在那一片斷裂聲裡，另外有一種聲音，分明發自他的肺腑，卻清清楚楚在窗外，是他失落的靈魂，要回到他的身體裡來。他顫抖著捻熄煙頭，漆黑的窗外，霧氣一波一波飛過，他向廚房外的長廊走去，拉開門，夜霧撲面而來，他向更深的深霧走去，腳底下覆蓋的落葉淹沒足踝，在他行走之際沙沙響。

嚴塵終於看見薇琪，在墓園那面向他招手，薇琪身邊的霧太厚太濕，竟致行走不過來，『薇琪——薇琪——』他感到自己淚流滿面，他的痛苦，他的空無一物的痛苦，正跟隨熱淚迸流而出。

沒有想到黎明前的墓石那樣透骨寒，嚴塵靠在上面騷動著，不斷更換坐姿、臥姿，四周游移的魂魄小心避開他，亦如白天裡，他盡量避免踩到墓石一樣。

他在天將亮未亮之際回到家裡，昏昏睡下，一覺醒來已日上三竿，發覺自己乾枯灼燙，正在發高燒，心想病一場也好，於是渾身渙散的病倒了，病中依舊做著同樣的夢，且一次又一次在他自己的呼喊聲中醒來。

他父親總是說，塵塵可以自己做這、做那，塵塵可以自己去、自己回來，嚴塵可以自己……傍晚，腳踏車在兩邊油菜花的田壠行過，他坐在車桿上，在他父親的懷裡，他父親兩腿有力的踩著踏板，每一下踩動，兩膝總是微微的從嚴塵身上摩擦而過，車輪沙沙轉動，是田野裡除了蟋蟀的鳴叫之外，唯一的聲音。『塵塵頂天立地，獨來獨往。』他父親突然在他頭上大聲唸，那聲息把他頭頂吹得癢梭梭的，令他發笑。他還沒有弄明白什麼是頂天立地，獨來獨往的時候，已經車行出田壠，來到他外公家的曬穀場，使他沒有機會知道，他父親希望他做一個什麼樣的人，一個可以自己解決一切問題的人？一個孤零零賣墳地的人？嚴塵在病榻上蒙頭睡三天後，回到墓園，見一切如常進行著，有點失望，決定不能老是把工作丟給阿林，如果讓員工感到老闆竟在依賴他，他還能對你恭敬忠誠嗎？嚴塵病癒，第一道發下去的號令是，請園丁立刻把通往他家那條林蔭道上的落葉，清掃乾淨。再叫阿林打電話去唐人街的職業介紹所找人，青谷墓園需要再添兩名推銷員，分工合作的效果，絕對比重用一個人強。

職業介紹所很快即送人來應徵，嚴塵交由阿林擇選和訓練，阿林選上一個緬甸來的中國人，另外一個他的馬來西亞同鄉，之後，恭謹向嚴塵報告，嚴塵對於這樣的層次，感到滿意。祠堂建築已經開工，嚴塵多半在工地看工人打地基，材料也先後送到，嚴塵是最嚴厲的督工者，又最細心的驗貨員，工程進行因此比預計緩慢，義大利裔的建築師難免有怨言，卻也有幾分服氣，嚴塵發現自己另外有這等潛能，格外開心。園藝設計師是個年輕的廣東女人，生長在香港，嚴塵挑上她是因為喜愛她帶童趣的設計圖，嚴塵強調，青谷墓園一定要顯得『明亮、愉快』。設計師一聽，立刻笑了，露出兩顆虎牙和唇邊細小的梨渦，嚴塵不禁心動。設計師不斷探聽他對各種植物的意見，用一口彆腳中文。『只要不是菊花、松樹、柏樹，所有會使我聯想到長壽、短壽的植物，一概不要，其他沒有意見。』嚴塵說。

設計師又笑了。『我發覺妳笑起來很像櫻花，就多栽些櫻花吧。』嚴塵被她燦爛的青春吸引，自己也不知從哪裡生出來的幽默，他一向缺乏這種品質。

『啊，我也想到櫻花的，而且佔滿大分量。』

設計師羞澀的說。嚴塵發覺眼前的年輕女孩很能帶動一種活潑的氣氛，他自己卻忽然像條老狐狸，老謀深算起來，以致一時無法決定下一步行動。也許，就看對方的表現吧，要他像二十年前那樣，立刻振作起來展開攻勢，他是難辦到的。

『也許你應該問嚴太太的意見，她喜歡哪一種植物？』女孩望進他眼裡問。

哇，露出機心來了，然而多麼含蓄有技巧，嚴塵高興的直追，『我單身。』

女孩舒展笑容。『應該常常讓妳笑，妳笑起來好可愛。』嚴塵說完，接著問：『是不是剛畢業？妳像二十出頭的樣子。』

『才不呢。』女孩臉微紅，『都二十七歲了，看相的說我今年走桃花運，要倒楣三年。』

『喔——？』嚴塵覺得有趣，卻思索起來。女孩在暗示什麼嗎？那三年是我的嗎？

啊，年輕人隨口一句話，回頭就忘了，我這是怎麼？已經如此老朽？

21

天微亮，嚴塵已醒來，隨手摸過床邊的望遠鏡，朝乾枯的枝椏間望去，望一會即索然無味放下，一心只在想昨天的廣東女孩，她叫什麼來著？也有名有姓的，她只肯給英文名字，寶麗妲・伍。『中文叫什麼？』嚴塵問。女孩扭捏一笑，『我的中文名字不好聽，你只管叫我寶麗妲好了。』還有這種事？不肯以眞實名字示人，因爲不好聽。眞是稚氣，其實也二十七歲的人了，卻因未婚，即有無限可能，亦即青春。而她自己也深知這點，『每次人家一聽說我單身，立刻對我另眼相看，因爲單身的身分，的確給別人比較大的想像空間。』

嚴塵聽得傻笑，他能想到的，也就是怎麼剝下寶麗妲的衣服，像這一刻，寶麗妲正裸身站在他眼前。要怎麼開始？嚴塵只想實惠一點，唔，立刻進入。

寶麗妲是獨特的，跟阿蓮不同，跟水雲不同，簡直沒有什麼比躺在這裡想像寶麗妲身上的芬芳，更令人心笙搖蕩。他原來以爲，水雲之後，再無熱情可以揮霍，然而，從這一刻看來，竟是沒有什麼不可能，所有的不可能都是可能，也許，只有寶麗妲能夠把潛藏在他體內點點火苗，悉數掏出來燃燒掉。這樣想的同時，他的心卻又莫名的淒愴，好似隨時可以催使眼裡滴出淚來。

走往墓園的途中，嚴塵一點一點冷靜下來，試著把心安置到他認爲理想的狀態裡，就是那種喪失溫度的漠然。是的，漠然。寶麗妲會怎麼回報他的熱情？年輕的、一無所有，正在等待大片天空光臨頭上的女孩，會怎麼回報他？『我要全部，或者什麼也不要。』寶麗妲將如是說。而糟糕的是，那一點也不過分。想到這裡，嚴塵唇角自嘲的泛出一道笑紋。

他記得，希特勒那個最早的追隨者海斯將軍，戰後接受盟軍的戰犯審判後，被關在德國一個叫Span Dau的堡壘裡，做階下囚的海斯將軍，每天不發一言，只吃他太太送去的食物，其他任何食物一概拒吃。天下之大，臨了，僅剩下他的髮妻可堪信賴。一霎間，嚴塵又方寸大亂，他有什麼德行可以憑藉，以等待阿蓮的忠誠？水雲的？更荒謬寶麗妲的？啊，又有什麼不一樣？海斯將軍結果不是自殺了嗎？九十幾的高齡，被關了幾十年釋放後竟自殺了。那跟他在獄中吃下帶砒霜的食物死去，有什麼不一樣？因爲是他自己選擇死亡？那麼，僅吃他太太奉上的食物，意在驕示，即使淪爲階下囚，他也有光耀的一面？因爲天底下有一個人對他至死不渝的忠心耿耿，亦如他誓死効忠他的領袖和他的信仰一樣。如果換上他嚴塵，嚴塵『嘿！』一聲笑了，『就讓砒霜毒死吧。』讓海斯將軍的時代過去吧，嚴塵一路痴想，而寶麗姐竟在服務台裡等他。嚴塵不動聲色的走進去跟她招呼，寶麗姐瞅他一眼後略垂下頭，搶先說：『我昨天晚上畫了一個草圖，請你看看有沒有什麼意見？』

嚴塵輕『啊』一聲，『妳的工作效率這麼高。』逕自倒咖啡，回頭看一眼寶麗姐手邊半空的紙杯，問：『還要不要？』

寶麗姐嫵媚的搖頭。『大清早就看見妳，感覺眞好。』嚴塵溫柔說。

寶麗姐臉微紅，認眞的攤開設計圖，解釋給嚴塵聽，卻有幾次語不成腔，嚴塵注意到她食指輕顫著，一下按在設計圖上，一下縮到設計圖下，又回到設計圖上，她一直垂著頭沒有抬臉看嚴塵，嚴塵敏感到她繃緊脆弱的神經，心裡微微詫異著。兩人肩並肩靠得極近，卻一點沒有接觸到，因此愈形刺激，像似斷裂、似挫鑽，使他跟著輕顫起來。寶麗姐身上不知擦什麼香水，聞起來有點像阿蓮某種草藥的氣味，微苦中散發清香，是阿蓮丟在廊簷下的氣味，整個夏日裡都在空氣中飄浮著，那樣熟悉的氣息使嚴塵又差點滴出淚來。嚴塵一下握緊拳頭大口吸住氣，低聲說：『我沒有意見，什麼都好。』

啊，他也不曉得爲什麼感情永遠像一個無底洞，永遠塡不滿，永遠空虛，啊，不對，只是……新陳代謝得太快了，眞是慚愧啊，他永遠在憧憬新的刺激，爲什麼不呢？他體內沒有一個器官可以聽候差遣，他的肢體正在漸漸枯槁，再也喚不回來，一切都無法掌握，無力掌握，惟有感情，竟然還能夠收支使喚，但是，也不會太長了。再也無人眷顧的那一天，距離現在也不會太長了。

然而，寶麗姐到底太年輕了，水雲有一次告訴他，忽然買好機票要去里斯本玩，發現護照過期，只好去洛克斐勒中心的護照申請處排長龍，申請緊急換新護照。見排在她之前一個六十好幾七十歲的老頭，手中拿著申請表，水雲忙趨前問他哪裡可以拿到申請表，老頭轉身一見水雲，那副表情，水雲說，那副口水流到地上的表情……天啊，男人老後怎麼那麼可憐！他開始問長問短，從哪裡來？來多久？辦護照要去哪裡？等一下要去哪裡？有沒有空一起吃午飯？對街Saks頂樓有法國餐廳……老頭是愛爾蘭人，『他一直像乞丐樣的望著我，沒有任何其他原因，只因爲相形之下，我顯得太年輕、太年輕！而竟有年輕女人找他說話。嚴塵，我一下就想到你，我知道你有一天會跟那個老頭一樣，我眞是難過啊。』

嚴塵於是躊躇，再躊躇，但是，寶麗妲沒有給他太多時間猶豫，『被你這樣信賴，很感激。我一定會讓這個山谷，像被魔杖點過，變得很漂亮。』

嚴塵不禁微笑，『另外那面還有兩座山，以後也要請妳設計。』指著遠方的山巒炫耀。

『哎喲，』寶麗妲張圓眼睛叫，『你到底有多少座山呀？』

『就是這邊兩座加上那邊兩座。』嚴塵謙虛答。

寶麗妲高興得直笑，嚴塵亦自開心，順口即邀請寶麗妲一起吃晚飯，寶麗妲欣然應允。那家中國餐廳在小鎮的邊緣，較僻靜的地方，嚴塵準時到達，發現距離他兩桌遠，赫然坐著水雲，背對嚴塵的顯然是水雲的丈夫，水雲忽然放下筷子抬頭，四目交接，一起呆住，卻雙方都沒有招呼。嚴塵後悔不該約在這家餐館，卻又實在高興遇見水雲。寶麗妲馬上到了，他眞不希望被水雲看見，正思忖要不要站起來離開，寶麗妲已經盛妝而來。嚴塵不敢抬眼看水雲，待寶麗妲坐定，還是忍不住瞄水雲一眼，水雲正在瞠然看他，不知水雲怎麼猜他跟寶麗妲的關係？這時運用幻想實在不當，但是，事實跟想像之間有太大差別嗎？總之，已經另外有人像一堵牆站在他們之間。相形之下，那個愛爾蘭樂師的分量，竟至微乎其微，也許，前一陣嫉妒成那樣，根本只是他個人的幻想，水雲這時不是好端端跟她丈夫在一起嗎？嚴塵從不嫉妒水雲的丈夫，他知道有水雲的丈夫存在較安全，對他和阿蓮、薇琪的家庭較有利。

他不懂爲什麼坐在這裡盤算這些？既然一向都在盤算，足見水雲並不可愛，那麼，一心一意愛寶麗妲吧，寶麗妲是最終要送飯去孤堡上給他吃的人？嚴塵無聲的笑了。

寶麗妲正在跟侍者點菜，嚴塵定下心欣賞她光艷的青春燦爛的模樣，忽然意識到他應該振作起來迎合她，絕不許露出老態。他這時只許像三十剛滿的人，要忘掉他的牙科醫師，忘掉他染過的髮，一定要把這些惱人的細節徹底忘掉，至少，這一刻。

寶麗妲這個晚上顯得自信又篤定，白天裡的失措已經霧散。她一口又一口挾著盤裡的清炒綠花菜吃，『好像在吃一個花園，你看，紅蘿蔔就像花。』咯咯笑著。嚴塵見她吃得高興，亦自笑臉相陪。寶麗妲說她吃素，不因爲宗教原因，惟自幼偏愛素食，嚴塵不知怎麼立刻想到，素食者必缺少性慾，嘴裡不合說什麼，僅點頭淡應著。

水雲那桌已經結好帳，站起身朝嚴塵這桌走來，水雲在前，臉上淡笑著特別看寶麗妲一眼，她先生中等個子落在後面，沒有注意嚴塵。寶麗妲望著水雲走過的背影，依舊笑著吃菜，並未起疑。

面對這一切，嚴塵忽感到洞燭人世的不安，他看寶麗妲的眼光一下悲哀起來。

22

水雲的丈夫比他想像中瀟灑，雖然略見白髮，水雲說過她先生不屑染髮，但是擦髮油，擦過髮油的髮根根服服貼貼，可以黑的佔上白的藏下的控制自如。嚴塵則像女人似的，要辛辛苦苦的不時染髮，也許，女人還不如他那般深恐露出老態呢。阿蓮某次就鄙夷的說過，『年輕的時候相信女人有的缺點和弱點，男人全沒有，其實男人一樣小心眼斤斤計較，一樣愛美怕老，至少，我認識的男人是這樣。』她認識幾個男人呢？自然句句指的是嚴塵。

嚴塵吃過飯即跟寶麗姐分手，雖然寶麗姐興致很高，沒有立刻離開的意思，『The night is still young.』寶麗姐微仰起臉，眼裡閃著晶光說。

『妳想去哪裡?』嚴塵站在停車場,對著茫茫黑夜問。

『你累嗎?』寶麗姐不掩飾她的失望,『那就算了。』

嚴塵捏一下她的手心算是補償,『我把車跟在妳後面送妳回去,下次我去接妳,不要開兩輛車。』說完在寶麗姐額上親一下道晚安。

回山谷的路上,嚴塵一路咀嚼自己此刻的心境,只覺味同嚼蠟,雖然明知寶麗姐是可愛的,跟寶麗姐在一起是快樂的,可是,他怕已經無力再創造高峯——一定是水雲引起的!他猛然醒悟,這才放心了,只要找到肇因就好,找到肇因就不難解決了。

他默算寶麗姐二十七歲,薇琪十七歲,薇琪將來不會嫌憎他色慾熏心吧?要怎麼跟薇琪解釋他這個做父親的只是爲了、爲了傳宗接代?這個人口爆滿的地球還少他一個後代嗎?要怎麼解釋才入情入理?還好薇琪十分善良,『絕不會爲難我,絕不會。』嚴塵相信。

嚴塵醒來的時候,覺得又黑又冷,窗外正在下雨,他下床開暖氣,老舊的暖氣管立刻咕滋響，過半個鐘頭才暖和了。才五點半，窗外黑黑的，他撐起來坐在床上點煙，耳邊忽傳過來剝剝敲窗的聲音，嚴塵沒有抬頭，也許還是暖氣管？或暖氣引起冷縮熱脹？他慢慢抬頭望窗外，見白色衣裙的背影正向雨中奔回去，嚴塵猛按下煙蒂，推窗大聲喊：『薇琪！』背影卻迅速在雨中如煙消逝。

薇琪乍現的一霎，一逕那樣眞實，不容思索，不容懷疑，使他格外感到失落，使他的心再次抽痛起來，以致虛脫乏力。爲什麼老想要活到一百歲？他腦中忽閃過問號。何必活到最長？太陽底下無鮮事，有什麼値得好奇？也許七十歲以後的某一天，他會想到從此一睡不起，然後過兩日，菲力浦就來敲門了，發現他躺在灰暗的客廳一張沙發裡，沒有鼻息。是的，第一個發現他死去的一定是菲力浦，不會是薇琪，亦不是寶麗妲。

他到墓園，在服務台裡見菲力浦正在埋頭煮咖啡，嚴塵過去拍拍他厚實的肩膀，說，『菲力浦，我們是終生的朋友。』窗外，一隻烏鴉一路『咯咯咯』叫聲像水鴨子，低掠而過。

詹先生推門進來，嚴塵和菲力浦同時一驚，『對不起，沒有敲門。阿林告訴我，你們在這裡。』詹先生走到嚴塵前面，接著說，『那天從阿林和菲力浦那裡聽到你女兒失蹤的事，我也覺得很難過。』

嚴塵『嗯、嗯』。點著頭，邀請詹先生到另一座山谷，看正在興蓋的大祠堂。早就雨停，太陽時隱時現，翻過山坡，工地這一帶因雨水浸泡過，滿地泥濘，他們下車，站在高地上望著未完工的祠堂，太陽照過，白石的牆即閃閃生光，看去奇異的鮮活，背後波動的半落盡的紅葉黃葉，反而像是靜止的。嚴塵站在那裡，忽然惆悵的想，說不定這就是他事業的顛峯，已經頂天了，不可能再好，接下來的也許就是，只求穩住腳步的下坡路，大略如此嗎？他的一生？實在難以心服！可是，他盡過力了，絕對盡過全力了，『人的精力實在有限。』他喟嘆。

『是啊，一個人只有兩隻手，只有二十四小時一天。』詹先生說。

嚴塵沒有細聽，逕自思索，『最能幹的人是，一個人可以頂好幾個人，一個人可以做好幾個人的工。我沒有做到那樣。』他再次喟嘆。

詹先生對著他笑起來，『想開點吧。』頓了一下，接下說，『你應該出去度假，帶女朋友出去度個假，有沒有女朋友？』

嚴塵輕哼一聲，『怎麼會沒有？只要把精神用在那上面，自然有。』說完，轉身回車裡默默抽煙，詹先生亦跟進來，掏出嚴塵的煙點上，一邊說，『我太太去三藩市了，一個人在家裡日子眞不好過。』說著，深吸進一口煙，『你還年輕，沒有想過再婚嗎？』

嚴塵噴著煙，略搖下窗沒有說話。即使如此，車裡的空氣還是變得很汚濁，阿蓮最受不了他在車裡面抽煙，薇琪乖巧，見她母親不喜，嚴塵一抽煙，她立刻兩手直揮，學她母親唸『烏煙瘴氣！』唸得荒腔走板，嚴塵有時爲了聽她那樣稚嫩可笑的聲音，故意燃上煙，逗她再唸一次『烏煙瘴氣！』這一切零零碎碎的記憶，恍如昨日。薇琪一次又一次在他眼前出現，難道不是爲了提醒嚴塵，不要把她忘掉？

『我上一個婚姻並沒有結束，怎麼可能再婚？』嚴塵終於說。

詹先生望他一眼，欲言又止。嚴塵知道詹先生要說什麼，不想聽，故不追問。他相信薇琪活著，至少，他希望薇琪活著，總可以吧？

『如果是我女兒失蹤了，我一定要到處去找，我非把答案找出來不可。』詹先生說。怎麼沒有到處找過？嚴塵沒有說出口，靜靜的看著車前方山谷裡被翻過來的大片黃土，陽光越來越弱，今天顯然不會天晴了。

『找到答案，不論什麼答案，我一定都受得了。』詹先生繼續說。

嚴塵冷哼一聲，詹先生迅速轉臉看他，『嗳，說大話的確比較容易。』說著，捻熄煙頭。『我猜你女兒還活著。』

『爲什麼？』嚴塵心裡一震，假意不信的問。

詹先生慢吞吞答，『還是有一線希望。』把眼光移向遠方。

嚴塵急接下說，『我聽說很多不能生育的夫妻，認養小孩的手續又非常麻煩，常常一拖幾年，根本無法等待。』嚴塵熱心設想，『如果有人綁架了孩子之後，託口說是收養來的，現在因爲失業再也無力負擔，只好待價而沽。這不是很容易詐騙到錢嗎？』說到這裡，嚴塵的心一下又沉到谷底，『只是，那點錢哪裡比得上器官移植？』他最怕的就是像這樣，越往深處推想，越感到薇琪存活無望，啊，一定要受得了，是的，不論什麼結果，一定要受得了，大不了是死去了，死，就是一種完成，不必太悲傷。

『你有沒有注意到，你大概每隔兩星期要收到一張的尋人啓事裡，幾乎沒有重複的面孔？有多少人口在失蹤啊？』嚴塵鎭定得幾乎殘酷的邊說邊整理思緒，『你有沒有注意到那些失蹤的人口，不是小孩子就是年輕人？爲什麼年紀輕特別容易失蹤？』

詹先生眼光閃爍不定，卻十分仔細的聽嚴塵繼續說：『是不是因爲年輕的器官比較有活力，所以比較有用？你說過，你兒子換過心後，你根本不知道換上的是誰的心臟？也就是說，器官的來源已經不值得追究，只要有器官就好，因爲我們的醫院裡實在太需要了！』

『我們的確不知道是誰的心臟，是男性的還是女性的？連這個都不知道。』詹先生小聲說。

『所以，怎麼會沒有人鑽這種漏洞……爲什麼犧牲的是我？』嚴塵問向遠方。詹先生沒有接腔，兩人同時沉默下來。

山谷上空，一片烏雲被風吹散，然而，天色還是很沉，好像隨時落得下雨來……他沒有受不住的理由，是的，他沒有受不住的理由，那麼多年已經過去了，他沒有受不住的理由。嚴塵眼望著天空，猜想建築工人今天不會來了，包商說十二月以前完工，看來未必可靠。

23

回服務台的路上，兩人依舊沉默著，直到停車場，詹先生臨下車才開口，『我寧肯相信失蹤案跟器官移植沒有關係，光是那樣猜想，已經讓人受不了。』

嚴塵眼光直射進他眼睛裡，赤裸裸的看他。『如果失蹤案是因爲器官移植……』詹先生艱難的接下去，『我不曉得該怎麼說，總之，我兒子並不比受難的人更有資格活下去。我們是不知情碰上了。還好，猜想而已，不絕對可靠，是吧？』

嚴塵沒有說話，目送詹先生下車後鑽進他自己的車裡，離開。

詹先生當然比他活得好，他才是受難者，詹先生並不是，聽那篇安慰人的空話，多麼廉價的慈悲心！嚴塵憤怒的摔上車門。可是，到底要怎樣呢？要詹先生賠什麼嗎？詹先生做錯什麼嗎？嚴塵一步步朝上坡的服務台走去。也許，錯誤的是他自己的妒恨心，能夠不妒恨嗎？這個毫無公理的世界！嚴塵忽然停下腳，發覺雨絲正隨風飄下，細雨裡見左前方一群圍棺默禱的人，哀傷的，上帝是我們的主宰、上帝是我們的主宰。他不由得落下淚來。

菲力浦、阿林和兩個新來員工在服務台裡面，菲力浦掌上停一隻麻雀，一邊愛撫著，見嚴塵推門進來，依舊喃喃說著話，『傻鳥，怎麼摔下來的？是因爲樹林被砍掉了，你沒有地方停留嗎？』瞄嚴塵一眼。

嚴塵逕自從一個抽屜裡抽出大毛巾擦頭臉。菲力浦在後面說，『水雲給你打過電話，大概半個鐘頭前。』

嚴塵一楞，輕唔一聲，沒有回頭。水雲這時候打電話，能有什麼事？必定因爲昨天在餐館見到寶麗妲。水雲準備告訴他什麼？『嚴塵，你怎麼能在我們那樣好過之後，再去跟別人……啊，算了，你有什麼不能？』水雲嘆息。不對，水雲必不肯對他乞憐，尤其在看到他另外有人之後。水雲多半會刻薄的問他，『嚴塵，不要唬人好不好？你會對任何人好嗎？小氣的人！不要利用年輕女人打扮你自己好不好？好俗氣！』對，一定是這樣，水雲一定是這樣。嚴塵丟下毛巾，過去看麻雀。

『小麻雀怎麼了？沒有摔傷吧？』阿林和新員工跟著一起過來探看，嚴塵手撫愛麻雀，麻雀在菲力浦掌心慢慢活潑起來。

『放牠出去，放牠飛。』阿林在旁邊催促，開門讓菲力浦放麻雀。

電話鈴響，嚴塵一個箭步過去拿起話筒。他猜是水雲，一顆心亂跳著，果然是水雲。

『你那邊怎麼好吵？』水雲問。

嚴塵猛然想到水雲並不知道墓園正在擴建，又多添了三名員工，原來已經生疏這麼久，至少半年，他竟沒有感覺到。

水雲等不到他回話，逕自說，『我們要搬家了，昨天在餐館看到你，想通知你一聲。』

『搬去哪裡？』嚴塵納悶，如果昨天沒有不期而遇，就想不到通知他嗎？

『去紐約，距離其實不遠。』水雲說，『有家醫院給研究費。』口氣淡極，絲毫聽不出情緒起伏狀況。

『那好啊。』嚴塵不知所以的答。『什麼時候走？請妳吃飯。』他惆悵起來。

『來不及，明天大早搬家公司就來了，家裡電話已經切斷，我現在公用電話亭。』

水雲飛快說完，忽然放緩聲音問，『還跟以前一樣嗎？』

嚴塵屏息，半晌才應道，『妳呢？』

水雲在電話那頭笑出來，『嚴塵，』水雲很少這樣叫他，『你不能不承認你嫌棄我，而我既然清楚被你嫌棄，就玩不下去了。我要走了。』掛斷電話。

嚴塵握著話筒發怔。忽然發現窗外的告別儀式已經結束，人群已經散去，多半走到停車場了。從這裡望下去，只見細雨中一把一把撐開的傘，倒像雨地上浮著大朵大朵黑色的蘑菇。他心裡一遍又一遍喚著水雲的名字，不，寶麗姮的。

他知道水雲為什麼打電話來？那確實使他心裡升出一絲暖意，一份滿足，然而，也像看完一本書一樣，再吸引人，還是要把它闔上。

他今年四十七歲，嚴塵轉念想，如果寶麗姮懷他的孩子，二十年後他六十七歲，那時候他的體力用完了，時間也用完了，再接下去的二十年，於是由寶麗姮承擔，他要他的孩子永遠有一個父親和一個母親在旁邊，不僅在童年，因為即使現在他這把年紀，他還是日夜憧憬著一個父親和一個母親，可以去愛和被愛。只是，寶麗姮會離開他嗎？年輕女人雖然義氣，但，她們終歸會被鍛鍊得精明世故，尤其，還有外來的誘惑。這個天底下沒有永遠的幸福，事實上除了死亡和寂寞以外，沒有什麼是永遠的。

外面雨勢變大，雨點越落越密越沉，嘩嘩下著，這場雨過後，所有的樹葉都將落盡，整個山谷將變得光禿禿的，到處張著乾枯的枝椏，只剩下松樹猶自綠著，對了，要記得告訴寶麗姐，松樹還是多栽種幾棵，否則漫長的冬天，乾枯的墓園顯得太淒慘了。嚴塵兀自想。

雨不停落著，不知要落到什麼時候？天黑之前一定會雨停吧？氣象預報沒有說明天還會下雨。明天清早，水雲又要搬回紐約了，跟著她的先生一起走了。那個男人看起來不壞，他必定可愛，必定有值得依賴的品質，使水雲心甘情願跟他遊民似的不斷遷移。可是，如果那個男人發現他的妻背叛過他……嚴塵悚然心驚之際，思路霎時切斷，變得空白一片，大腦魯鈍起來，每一次面臨這種慘況，究竟歷時多久？他無從知曉，因爲計時的能力也同時喪失了。是的，如果那個男人發現他的妻竟背叛他，嚴塵回過神來，那也不比他預計的損失更多，水雲的丈夫不是早就算好，他的妻一定會背叛他？也許，那只是出言恫嚇，或者竟是一種變相的乞憐。不論爲什麼，那男人絕料不到，因著一句自以爲高明得天衣無縫的話，竟會使他的妻問心無愧的背叛他。嚴塵伸手進口袋裡掏煙，微抖著把煙點上，猛吸進一口。

嚴塵默默噴吐煙圈，再換一個角度，如果換上他嚴塵，發現他的妻背叛他，咳，奸夫淫婦！他第一個希望是乾坤顛倒天下大亂，根本沒有所謂紀律組織倫常，人類原如豬狗可以雜交，如此，他才不致失控。然而，他結果一定失控，當然、當然，他一定大步趕過去，對準阿蓮噼哩啪啦千百下耳光，非把阿蓮打到死爲止，不對，他一定過去先把那個男人幹掉，再回頭找阿蓮算帳。

但是，如此猜想，未必準確，說不定他可以控制住自己，大半輩子都過去了，什麼事沒有經驗過？被老婆背叛一下有什麼關係？如果阿蓮覺得跟別人在一起比較快樂，儘管去吧。所以，如果猛一開門，撞見阿蓮跟男人在床上，一定先自一楞，實在太出乎意料之外了……他當然不可能風度好極的說，『對不起打攪了，請原諒。』但是，他會忍耐的站在門口看一會，跟阿蓮四目交接的一霎，看到阿蓮眼裡潑灑出去的絕決，則他自己的眼光除了悲哀之外，大概也難有其他情愫。那一瞬之後，他會慢慢走過去，注視男人驚慌的拉住床單下床，嚴塵過去奮力揮出兩拳，把男人打倒在地後，才開始詰問。他也許原諒阿蓮，也許不。嗯，多半如此，所以不論哪一種反應，他都曾經蒙過危險；也不是沒有思慮過，惟跟水雲在一起的誘惑更形眞實。而這一切，皆因水雲搬家去紐約，自動消失了。

雨不停落下，落下，他此時應當是暢快的，可是他心中十分淒苦。

24

嚴塵在工地跟工頭說著話，見寶麗姐的白色本田翻過山坡開下來，寶麗姐的態度已然明顯，她的工作並不需要一再上山，果然，她這次沒有帶設計圖，已經不需要藉口了。寶麗姐穿米色風衣，跟在嚴塵後面近前看祠堂，她一邊摸著石牆嘖嘖稱讚，一邊說，『我將來不想要躺在大理石的屋裡，只要把我燒成灰埋進土裡面，可以曬到太陽就好了。』

這種話由年輕漂亮的寶麗姐口裡說出來，實在不當，嚴塵第一次厭惡自己這門行業，趕忙轉移話題，『妳的設計圖裡面，記得多加幾棵松樹進去，冬天到底滿長的。』

寶麗姐微笑，『你上次雖然不讓種松樹，我還是偷偷加上了。』

『哎呀，怎麼可以這樣不聽話。』嚴塵笑。

兩人走到祠堂前面空曠的場地，最近大力促銷的結果，這一片未完工的墳場，已經售出半數，嚴塵不想跟寶麗姐談這些，根本，把寶麗姐放在這種場所就不合適。寶麗姐卻在旁邊嘟起嘴撒嬌，『我的部份，可以發揮的空間實在太小了，你這麼大片山地，乾脆割一小塊由我種草藥好了，會很香的。』

草藥？嚴塵暗吃一驚。而寶麗妲到底年輕膽大，居然要求割地給她種草藥。草藥是阿蓮主要的生意，她還是自己到山林裡面辛苦尋覓來的呢。然而，嚴塵『好啊，好啊。』點著頭，到底無法拒絕。而且，如此便宜了寶麗妲，也不能算對不起阿蓮吧？阿蓮要的是實用價值，寶麗妲是要發揮一下作爲藝術家的才能吧？

『種草藥需要一塊園地，這裡到處樹林，地下都是樹根。』嚴塵想了一下，只有他屋子兩邊的空地可以利用，然而，這使他立刻想到水雲，這一段時間的禁慾生活，一霎間幾乎崩潰，也使他再次體會，實在沒有剩下多少情可以運用了，僅剩下獸的本能，也許，他從來都是一頭獸，衣冠禽獸的獸，他不懂爲什麼是這樣？他不知道怎麼辦才好？寶麗妲自己頭腦要放清楚一點！他眞的不知道怎麼辦才好？『我的屋前兩面空地，夠妳種草藥。』嚴塵喉嚨裡乾渴的說。

寶麗妲天眞的表示要立刻過去看。

嚴塵的屋子周圍落葉已經耙過，灰石屋前佔據幾棵矮樹，屋後緊臨一面山崖，惟兩邊荒草地，這時看來，竟像張開雙臂在等待寶麗妲投懷送抱。

『這裡好美！好美！』寶麗妲下車，站在屋前讚不絕口，又到空地上探看一下，『小石頭滿多，要花很多力氣翻土揀石頭。』她說，『你如果看到我做粗活！一定會嚇一跳，我做起粗活就像牛一樣。』她心情好極的笑開來，『其實，不用大腦的工作我做得比較好。』寶麗妲說完，這才注意嚴塵，兩人都像掙紅臉似的對望著，嚴塵首先回過神來，『進屋裡喝咖啡。』他說。讓寶麗妲走在前面，就像那一夜水雲帶頭走在前面，逕自走進他敞開的臥室裡；惟秋陽正直射而下，使他乾渴、眩暈，『大門沒有鎖。』他喃喃的說。屋裡雖然開一點暖氣，乍走進去，仍舊感覺陰涼，嚴塵趨前，卻呆在那裡，大腦空白的不知該向哪一扇門走去，臥室？客廳？廚房？『唔，喝咖啡來的。』嚴塵跨進廚房，對準咖啡壺走去，『我來燒咖啡。』寶麗妲亦揷手，忽然肌膚輕觸，兩個人一起頓住，嚴塵轉身拉過寶麗妲，一顆心狂跳著，把她攬入懷裡，『寶麗妲？水雲？寶麗妲。』嚴塵在心裡呼喊，身上開始燥熱，暖氣管咕滋咕滋響，使他流下汗來，那個無風的，蒼蠅噪飛的暑假裡，曬得滾燙的河堤，從茫茫虛空裡浮出臉來，蒼蠅嗡嗡噪飛、噪飛……凡所有相皆是虛妄？嚴塵默唸，凡所有相皆是虛妄，虛菩提啊，凡所有相皆是虛妄！嚴塵放開寶麗妲，一手支頭靠向牆上，閉目半分鐘，慢慢睜開眼，見寶麗妲雙頰酡紅正在順理齊耳短髮，『妳那天說妳吃素，多久了？我沒有想過會遇見吃素的女孩子。』嚴塵終於掩飾的說，臉上身上紅潮驟退，說完即回頭煮咖啡，聽寶麗妲應，『好久了，確實多久也說不上來。』寶麗妲怔忡著看著他煮咖啡，過一會說，最早是跟她阿婆一起吃素，大人因此誇她是乖女孩，特別憐愛她，『那滋味很好，後來漸漸忘掉肉的味道，也就不想吃了。』寶麗妲忽然天眞的說。嚴塵簡直懷疑她可能是裝做出來的。『什麼滋味很好？』到底沒有聽懂，因問。

寶麗妲笑起來，『被大人又憐又愛的滋味呀。』

嚴塵微笑，把咖啡遞給寶麗妲，寶麗妲接過咖啡，把陶製的杯子舉高看一會，誇道，『好特別。』

那是水雲的咖啡杯，嚴塵不知道爲什麼把水雲的咖啡杯給寶麗妲？當然只是無心的錯誤，只是下意識的給寶麗姐一隻較漂亮的杯子，絕對跟水雲無關。寶麗姐應該有不同的結局，嚴塵略不安的想，望著寶麗姐湊近杯緣啜著，表面粗糙的蜜色陶製咖啡杯，水雲說每一次的咖啡香都會被吸收進陶器裡，『到後來只要把杯子放在鼻子前面嗅一嗅，就已經喝進咖啡，從此煮咖啡買咖啡的麻煩全省了，只要嗅這隻杯子！這就是陶器的功用。』水雲如是說。

『唔，這杯子很香。』寶麗姐對著陶杯深嗅進一口。

嚴塵驚訝的看她，沒有作聲。原來水雲並非胡說，當眞有一套？

『你哪來這隻杯子？』寶麗姐問。

『一個朋友留下來的。』嚴塵說完，轉移話題，『什麼時候開始種草藥？』

『等春天呀。我下個星期就開始翻土揀石頭，好不好？』寶麗姐說著，又興奮起來，『眞是等不及吔，眞是技癢！』

嚴塵聽得失笑，心想年輕眞好，如果不因爲年輕，怎麼能夠暢所欲言？怎麼能夠嗅不到他這等老狐狸的騷臭？怎麼不是老狐狸？他多半是吧？想起來眞是難過。

喝完咖啡，兩人穿過乾枯的樹林，走回墓園。頭上依舊高高低低一片鳥叫聲，最多的還是烏鴉，『呱呱』嚎叫著，壓過一切鳥語，嚎叫著從這一片枝椏飛到另一片枝椏。

『我從來沒有在一個地方見過這麼多烏鴉。』寶麗姐說。

嚴塵微笑告訴她烏鴉是聰明鳥，聽說有些聰明烏鴉可以從三倒數到一，絕頂聰明的還能說『Never more』。

『你這裡也有能夠說Never more的烏鴉？』寶麗姐半信半疑的問。

嚴塵一逕笑，沒有回答。

寶麗姐見狀，亦笑出來，『我的草藥也不是每一種都靈光。』

嚴塵跟著告訴她，有一個叫韓瑞克的昆蟲學家，研究烏鴉十年，還在繼續研究中，韓瑞克有一次在緬因州冷冽的原始森林裡，看一群烏鴉分食一頭獵人貯藏起來的鹿屍，每啄一口即快樂的喊叫一聲，烏鴉們聒噪的飽食離開後，韓瑞克亦過去切下一片鹿肉，在雲杉樹下生火烤食，等烏鴉回來。所以，『自然只有韓瑞克這種專家能夠遇見絕頂聰明的烏鴉，如果像我們偶爾抬頭看烏鴉飛過，就能夠聽到其中一隻烏鴉喊Never more，那還得了！對專家太不公平啦。』

兩人一路說笑，嚴塵忽然感到，他這時眞像一個父親在對女兒說話，轉臉看寶麗妲，她笑眼裡浮動的流光，卻絕無可能出自一個女兒。那滿足了他的虛榮心，使他一下驕傲起來，恨不能把這一刻凍結，甚至公開，是的，公開，讓天底下的人羨慕他。佔有一個年輕女人的心，就不難佔有她的肉體，那樣的大成就，絕不下於成功的經營墓園吧？

25

他從來沒有對自己如此滿意過，在那一霎，電光石火般風雲交會之際，他對寶麗妲拿揑住的分寸，眞該有人切切實實的嘉獎他。有過這一次經驗，他以後多半可以因循這個模式跟寶麗姐保持良好關係，如果中途後悔，即有充分轉圜餘地可以隨時變，較之一來就鑄成大錯高明多了。

過幾日，寶麗姐即開始過來工作，她多半把車子直接開去嚴塵住處，自去做工。有一次嚴塵從墓園回去看她，秋涼的天，寶麗姐滿頭大汗，穿一套暗灰色運動服，正在翻土揀石子，『太辛苦了！』嚴塵吃驚的制止她繼續工作，『這工作我另外找人做，等他們鬆好土，妳再過來種花種草就好了。』

寶麗姐直起腰褪下一隻手套，撥開垂進眼裡一綹濕濕的髮絲說，『你只要讓菲力浦過來幫我翻土就可以了。』

『妳這樣做太辛苦了，我怎麼好意思？』嚴塵略避開寶麗姐的眼光說。

寶麗姐瞄他一眼。『如果你覺得付我工錢心裡面比較舒服，你就付一點好了。』說著彎下腰拿起地上一條毛巾拭汗。

嚴塵心裡面一陣慌亂，寶麗妲必在怪他這一向態度冷淡，寶麗妲爲什麼要這樣？爲什麼？外面的花花世界難道比不上這一片墓園？她到底所爲何來？嚴塵亦彎下腰拾起鋤頭埋頭鋤土，一下又一下的墾著、鋤著，利器撞擊石頭的聲音啞啞響，大片泥地很快就翻過一面，比寶麗妲幾日來辛苦鋤過的多出許多。嚴塵繼續揮汗鋤土，直到筋疲力竭，這才丟下鋤頭，問，『怎麼樣？好不好？』口氣裡又是謙卑又是炫耀，寶麗妲露齒一笑，『嗯，有些工作還是需要男人。』

『是的，有些工作自己無法獨立完成。』嚴塵應，『譬如生孩子的事。』

寶麗妲驚愕的搧動睫毛看他，低聲說，『我喜歡小孩。』

嚴塵上前握住寶麗妲的手，兩隻膝蓋沿著她身體的線條落下去，落到地上，把頭偎在她腰腹間問，『妳替我生一個孩子，好不好？替我生一個孩子。』一切如是簡單，說出來即好，只要把眞心話說出來，便是。長久來的鬱悶不舒坦，於是煙消雲散。

嚴塵抱起寶麗妲走過荒地進屋裡，穿過長長的走廊，裡面洩進一片陽光，靜止的，直洩到主臥房微啓的門口，隨著嚴塵推門的手勢，陽光跟著洩進臥房裡，而大床則在陰的那一面。

『啊，不好這樣。』寶麗姐忽然叫，從嚴塵懷裡下來，嚴塵拉住她，『我不會強迫妳做什麼，可是妳不想躺下來休息一會嗎？不要脫衣服躺一會。』嚴塵重新抱起驚疑不定的寶麗姐，喃喃對她說，『任何事只要妳不喜歡，我就不做，只要違反妳的意願，我就不做，不要怕。』

寶麗姐閉上眼睛，她在想什麼？嚴塵不禁迷惑，『啊，隨他去吧，生命很短，而二十七年已經過去了，還要堅持什麼？愛一個父親樣的男人，自有它的好處吧，父親不應當是可靠的嗎？』想到這裡，嚴塵暗自心驚，把寶麗姐平放在床上，問：『要怎麼樣妳才會感到安全？』

寶麗姐張開雙眼微笑，『就是現在這一刻，你這樣問我的時候。』

嚴塵微頓，復喃喃的說，『不要怕。』遂跪到床上褪下寶麗姐的衣服，寶麗姐的裸身，浴在淺金色的日光裡，待要去脫她腳上的厚棉襪，寶麗姐卻又閉上眼睛微笑說，『我習慣穿襪子上床。』

嚴塵住手，依舊跪在床上問，『整夜穿著襪子嗎？夏天也一樣嗎？』

寶麗姐沒有空隙回答，嚴塵的頭臉跟著問題深埋進寶麗姐頸間。

近十二月的天，黑得早，屋裡不久即暗下來，嚴塵發覺臥室裡除了他跟寶麗姐外，另外有人，淡白影子站在門口，垂頭望他們，寶麗姐抱著他的肩，偎在他身上熟睡。嚴塵對著白影子低喊，『阿蓮！』阿蓮紋風不動站在那裡，嚴塵漸漸看清她剛才浴畢的容顏，素淨嬌脆，沒有表情至近乎無情的垂頭面對嚴塵，嚴塵喉管咕嚕出聲，『阿蓮，上帝是我們的主宰、上帝是我們的主宰！』

阿蓮的影子跟隨一聲嘆息，遽然消逝。

嚴塵側過身，用另一隻手擁抱寶麗姐，寶麗姐醒來，低聲問，『幾點？』

嚴塵給她看腕上的錶，『啊，五點了。』

『餓不餓？』嚴塵問，『想去哪裡吃飯？』

寶麗妲伸腰，用力搖頭。嚴塵起來穿衣，一邊催寶麗妲，『起來穿上衣服吧，我要問妳。』

『問什麼？』寶麗妲漫不經心的在床上找衣褲，嚴塵塞給她後，逕自坐在床前的小沙發椅上等寶麗妲穿好衣服，示意寶麗妲坐到另一隻沙發裡，寶麗妲卻在嚴塵腿上坐下。

『妳要什麼樣的婚禮？』嚴塵擁著她問。

寶麗妲忽然毫無顧忌的放聲笑出來，『你不用等看我懷孕嗎？你眞滑稽。』說著伸手撫摸嚴塵的臉。

『寶麗妲，』嚴塵窘笑著，『如果妳知道薇琪，如果妳知道我父親……我不知道怎麼說得讓妳明白……』

『我懂啊，我懂啊，』寶麗妲分別在他額頭和鼻尖啄一下，『就是香火不斷啦，想不到你這麼頑固，還搞墳場呢，咦，誰是薇琪？』這才抬眼看嚴塵。

嚴塵被搓弄的正不知道怎麼調整表情，兀自尷尬的應，『薇琪是我女兒，四歲那年失蹤了。』

『哦，多久以前的事？』寶麗姐訝問，從嚴塵懷裡站起來。

『十年前了。』嚴塵下意識的不肯立刻說出薇琪的年紀。

『啊，一定凶多吉少了。』寶麗姐同情的望他，接著問，『你太太呢？』

嚴塵氣她那聲『凶多吉少』，卻不得不趕緊答覆下一個問題，『四年前分手了。』寶麗姐沉默的動手拉整床單，動作極細，每一個褶紋都被她用指尖撫平，嚴塵由她自去調整心情，困惑於她表面的冷靜，也許如流沙，格外危險。寶麗姐這時卻回頭對嚴塵說，『我要自己做晚飯給你吃，開不開心？』

『廚房裡沒有什麼東西。』嚴塵略驚慌的應，『還是出去吃吧。』

『走，我們到廚房看看。』寶麗姐過來拉他。嚴塵猶自驚疑不定，寶麗姐一日之間變得比他更像一家之主，女人總是這樣，也不知道遮掩，嚴塵不知怎麼替她發窘。然而，寶麗姐做出一頓不錯的晚飯，飯後，寶麗姐說要回公寓，嚴塵搭她的車，陪她到墓園，寶麗姐在車上卻懊惱說，『我以爲你會不讓我走。』

嚴塵一楞，立刻明白過來，說，『不要胡思亂想，我當然希望妳留下來，我們繞回去吧。』

『算了，我覺得你不是眞心的。』

『我們回去。』嚴塵肯定說。

『算了，我需要回去換衣服，家裡也還有好多事。』寶麗姐竟執拗起來。車子穿出鬱黑的樹林，沿著墳場邊上的小路開。

嚴塵握住她的手，『我知道妳需要回去，所以沒有留妳。』兩眼望住車窗外，車燈裡蓊鬱霧濕的墳場。

寶麗姐忽然抽回手，掩住臉啜泣，嚴塵驚問，『怎麼了？』車輪撞上樹林邊緣一堆土丘，正好在下坡停車場前煞住。

『我們不要分開，』寶麗妲一逕紛亂的邊哭邊說，『你知道我從來沒有對別人這樣，我們不要分開，一分鐘也不要分開，我要看到你下一分鐘在我眼前呼吸，還有下下一分鐘，每一分鐘，每一天，每一年，我要親眼看你呼吸……』

嚴塵卻看見他自己失足踩進流沙裡，身體往下陷，深陷、深陷，他開始呼吸困難，幾近滅頂……惟無怨尤，不論寶麗妲將愛他多久，時間並不重要，無論多久，終歸是短暫的。寶麗妲被他擁在懷裡，猶自嗚咽，『你爲什麼搞墳場？你讓我好害怕生命無常。』

嚴塵無法對答，惟有默默陪伴寶麗妲回公寓，收拾好兩皮箱兩紙箱衣物，搬去嚴塵住處，忙至深更。

26

兩人至凌晨始入眠，嚴塵倦極卻矇睡一會即醒，在月光中注視寶麗妲熟睡如稚兒的臉，一張無機心卻難掩各色慾望的臉，即使熟睡中，依稀呼喊著要，要一切要得到和要不到的，要、要，嚴塵煩惱起來，悄然下床到隔室，躺在他從前跟水雲擠在一起的單人床上抽煙，香煙繚繞裡，阿蓮和薇琪同時來到他眼前，薇琪顯得極小，小如她四歲失蹤那年，嚴塵訝問，『妳從來沒有長大嗎？』薇琪一驚頓然不見，阿蓮怨責的睨他一眼，尾隨薇琪消散。其實，嚴塵這時想來，何必繼續自騙自矇騙下去，那大白屋和一屋子人……隨風消散吧，薇琪去吧，已經回不來了，去吧，他的心猛烈抽痛，這一次痛得極長，挺不下去的長，整個人蜷縮成蝦米大，痛極直不起來，他不禁猜想時刻到了，腦海裡飛快閃過遺囑，還好，沒有什麼放心不下，惟有一樁關於寶麗妲，是的，寶麗妲竟是他的未竟之業，天啊，他竟還有未竟之業。

『嚴塵！嚴塵！』耳邊響起寶麗妲尖削的聲音，嚴塵漸漸甦醒，『啊，你醒來了，剛才是怎麼了？好嚇人。』

嚴塵受不住驟亮的燈光，瞇起眼勉強一笑，見仍然躺在自己床上，手上仍夾著半熄滅的煙頭，寶麗姐拿掉煙頭，又搓弄毯子燒出的黑洞，連說，『好險，好險。』

『妳不是睡得很熟嗎？怎麼也醒來了？』嚴塵問。

『不曉得怎麼有黑影壓在身上，好難受就醒來了。』寶麗姐說著，擠進嚴塵被窩裡，把嚴塵身上略檢視，高興的說，『安然無恙！』即翻身擁抱他。

嚴塵順手熄掉床頭燈，心裡思索怎麼召開一個記者會。薇琪確實不在了，從剛才看來，薇琪確實不在了，啊，他的心又絞痛起來，他咬牙忍受著，直到身上迸出汗珠後，肢體卻忽轉冰涼，『你又怎麼了？』寶麗姐支起頭，在黑暗中問。

嚴塵深呼出一口氣，極力放平靜的說，『明天我們去婚姻註册處，這件事情很重要。然後，我要籌備一個記者會，談薇琪的失蹤案。』

寶麗姐朝他身上偎緊了，一手在他肩頭輕拍。嚴塵在黑暗中微笑。

『嚴塵，剛才如果我沒有醒來，我們會不會葬身火窟？以後不許在臥室裡抽煙，好嗎？』寶麗妲柔聲問。嚴塵被她提醒，亦自心驚的答，『好。』

次日，他們清早去婚姻註冊處辦妥手續，寶麗妲是天主教徒，要在教堂行婚禮，嚴塵厭惡這等繁文縟節，後悔當初不該問寶麗妲要什麼樣的婚禮？然而，不問寶麗妲就會饒他嗎？還是盼望趕緊把這一關闖過去吧。婚期是嚴塵決定的，訂在明年農曆年行大典。

他沒有諸親好友需要通知，紐約一帶幾個老同學，還不知道他們對他的第二個婚禮有無興趣？另外蓋瑞和菲力浦三員工，唔，再帶上個詹先生，如此聊聊數人。寶麗妲方面的親友較多，第一次結婚少不得要鋪張一些。嚴塵看寶麗妲與高采烈籌備婚禮，有時仍難以相信眼前的麗人已經是他合法的妻。寶麗妲的父母跟她大哥住在加拿大，並不歡迎嚴塵這位快婿，嚴塵對於寶麗妲不是舉目無親的孤女亦深感遺憾。耶誕節那天，嚴塵在寶麗妲大姐家裡見到大群親戚，談笑甚歡，那天大家淨談地皮行情，上甜點的時候，寶麗妲向她的衆姐妹宣佈，『我們有四座山地，現在用上的只有一座，第二座正在開墾中，已經割成小塊統統賣出去了，另外剩下兩座山地，嚴塵，』寶麗妲轉臉笑望他，『讓我把我們的計畫說出來好不好？我今天實在開心。』

『什麼計畫？』嚴塵一楞，明白了寶麗姐只是好面子，順口應，『妳說啊。』

寶麗姐笑睨他一眼，『另外兩座山地，我們打算開闢成農莊式的避暑旅館，讓人家可以到那裡喝新擠出的牛奶，吃新孵出的雞蛋和現摘下來的青菜。你們看這個計畫好不好？』

衆人立刻異口同聲讚好，紛紛猜測是嚴塵的巧主意還是寶麗姐的？嚴塵亦自訝異，原來寶麗姐的眼光看上這一點，他倒沒有想過，一直以爲不過是幾座荒山而已，大不了是另一片墓園，沒想到，啊，寶麗姐，嚴塵心裡面五味雜陳，實在不知該怎麼說才好，只一逕微笑著。

回家的路上，兩人先是沉默著，車子從小路轉上高速公路後，寶麗姐打一個哈欠問嚴塵，『你今天玩得高不高興？』

嚴塵兩眼望著車燈裡的公路，應，『不錯。』

寶麗姐提高聲音問，『只是不錯嗎？農莊式的避暑旅館是我突然想到的，我覺得簡直像個天才，你只是認爲不錯嗎？』

『唔，不錯。』嚴塵又應了一次，依舊注視黝暗的路面，謹愼開車。寶麗姐在旁邊絮絮訴說，她父母親反對他們，主要因爲墳場，如果換一種行業一定不一樣……嚴塵更沉默的聽著，半個鐘頭後漸漸上山，兩邊漸漸陰森起來，寶麗姐依舊絮絮說，『我懷疑敢不敢一個人在這山裡開車？』兩眼望向車燈裡張牙舞爪乾枯的枝椏。

『爲什麼不敢？』嚴塵疲倦的自問自答，『習慣就好了。』

『我怕沒有辦法習慣。』

寶麗姐說他們應當回到一個燈火通明的家，山上一路點燈，照亮兩邊樹叢，直通山頂上的農莊，農莊裡的養飼場臥滿牛群、羊群、雞鴨，『還有馬！』寶麗姐尖聲補上。

嚴塵被她描繪的遠景感動，『我讓菲力浦去幫妳，不過妳沒有提到小孩，我們的小孩在哪裡？』

得太早。』

『小孩？』寶麗姐伸長玉指到他鼻尖點一下，『我有好多事情要做，希望小孩不要來

車子駛進墓園，嚴塵緩下車速，讓霧氣由車邊安全飛過。山谷靜極，只有地上依稀有蟲鳴，再過一個月的隆冬天，將更靜，死般寂靜，只剩下烏鴉偶爾飛過的聲音。淒清的月光裡，墓碑或臥或站，顯得稀稀朗朗的格外森寒，但見白霧似魅影一團一團，在墓碑間悄然移動。

『我希望這時候在床上，正在做那件事，』寶麗姐緊靠向他，對著他半邊臉吹氣，『我要在上面，面對你比較好還是背對？』寶麗姐不敢望窗外，更緊的貼向嚴塵。

『唔，下次試試看背對。』嚴塵伸過一隻手輕擁她，『不要怕，沒有什麼會傷害我們，這裡最安全。』是摸熟的路，閉著眼也能開回家，嚴塵把車子直開到家門口，門口亮一盞燈在等待他們，照亮高高低低一層一層的石階，上面兩腳朝天仰躺著一隻青鳥，寶麗姐縮在嚴塵後面，嚴塵過去拾起鳥屍翻看一會，『已經凍死了。』

『不要拿進屋裡。』寶麗姐在後面釘上一聲。嚴塵丟下鳥，陪寶麗姐進屋，自去倉房找出小鏟子，把鳥屍埋在前院一棵樹下，在清亮的月光裡。嚴塵忽感到周遭有人，抬頭見薇琪亭亭玉立，正低頭在看他，嚴塵喃聲叫，『薇琪，Daddy loves you.』說著站起來，薇琪卻一下在空氣裡漫開，嚴塵趕上前，惘然走進那團渙散的霧氣裡。

27

白屋的大小，恰容下三張手術枱和一間冷藏室，埋頭在裡面無聲工作著的，是四個穿白袍的人員，把猶溫熱的屍體推上手術枱開膛剖腹，之後，推進面對後門的焚化爐。白屋裡除了經驗老到的小組工作人員，不應當有其他活人，關一屋子人是極度危險的，一具一具沉默的屍體比較安全。薇琪不在了，是的，薇琪不在了，十四年前就從地面上消失了。是的，十四年前了。阿蓮說得沒有錯，那是薇琪的命，也就是他的命，他怎麼能夠不認？怎麼能夠不認上帝是我們的主宰、上帝是我們的主宰。

晨起，見窗外又是陰濕的天，廚房裡卻飄進來煎蛋和煮咖啡的香氣，已經多少年了，他的家裡缺少這種家的味道，他穿上睡袍跟著香味走去，廚房裡抽風機轟轟響，見寶麗妲穿著毛衣長褲，捲起袖口正在爐子前一下一下的翻動著，沒有察覺嚴塵來到門口，兀自哼著歌。嚴塵站在那裡呆望一會，悄然回到臥室更衣出門，像從前每一個假日清晨，他在阿蓮燒早點的時候，帶薇琪搭電梯下樓，到街上買報。他是一家之主。

他有多久沒有看報了？連訃聞版也不看了，他的時代正在一點一點如煙消逝，下一個輪次是寶麗妲的了。嚴塵走過昨夜埋鳥屍的樹下，見兩隻烏鴉從高枝上一前一後飛過，在已然寒冷的空氣裡。前面通往墓園的林蔭道，沒有樹葉遮掩顯得開濶多了，惟更見霧氣彌漫，深長的林蔭道上鋪著厚厚一層霜，乍看倒像下過雪似的，氣候的確很冷了，山谷裡比山下冷，約低八度。氣象預報今天夜裡會下一吋雪，最近的預報都很準，大概眞要下點雪了，今年還沒有下過雪呢。記得初來那年冬天，有一日清晨起來見屋裡很暗，發現外面下了一天一夜大雪，把整棟屋子埋在雪堆裡了，他和阿蓮因極度緊張，皆閉緊嘴不發一言，後來還是阿蓮冷靜，打電話到山下的區公所求援，過一個鐘頭即有剷雪車上山剷雪，墓園裡的積雪則需要嚴塵花錢雇人剷掉，冬天的墓園格外忙碌，逝去的多半是老年人，不懂爲什麼年紀大的人特別捱不過冬天？家裡面的暖氣難道沒有作用？也許只是捱不過心裡面的冬天吧。

他很喜歡在天微明之際，一個人慢慢朝墓園走去，恍惚被某種力量推動、牽引著，如此被動，隱含一種幸福，彷彿正放鬆四肢平躺在水面，隨波逐流。寶麗妲老遠的在背後喊他，嚴塵回頭，見寶麗妲不動的站在那裡，只好走回去，尚未走近，即聽寶麗妲埋怨，『你要出門爲什麼不講一聲？』

嚴塵近前，回說，『我很快就要回來的。』

『我一個人在屋裡會怕，到處陰陰的。你怎麼可以不講一聲就出門？』寶麗妲滿面怒容。嚴塵一言不發，跟在她後面進屋。屋裡香氣四溢，寶麗妲怕黑每一盞燈都亮著，顯得明亮愉快。明亮愉快不就是把他們拉近的因素嗎？而一切表象，皆因對比而來。所以，如果沒有陰的，哪裡知道什麼叫陽？

『寶麗妲，不要死心眼好不好？』

嚴塵掛好大衣，到餐桌前坐下。

『你在說什麼？』寶麗妲坐在他對面，張圓眼睛問。眞是誇張！年輕就是誇張嗎？年輕人擺一個手勢不是攻擊就是歡呼嗎？他已經忘了年輕是怎麼回事。

『我在說如果沒有去外面又冷又黑的地方走一走，哪裡能對比妳帶給我的家的溫暖。』

『喲——！』寶麗妲嘲弄，『我如果沒有喊住你，你再往前走就是墓園吔，需要那麼大的對比嗎？』

『那就麻煩妳常常喊住我，妳是……』一聲好太太卻說不出口，靈機一動，改口叫，

『Sweet heart!』

兩人同時噗笑出聲。

如此，了斷家務後，嚴塵重新出門，寶麗姐要開車下山回辦公室，堅持要嚴塵搭她的車去墓園。嚴塵的車一向停在停車場，只有下山才開，即使嚴冬亦然。想到從家裡到墓園，行走這一段美妙的山路極大的樂趣，從此被剝奪，十分可惜，一時卻無計可施。

他發覺菲力浦和阿林不時用神秘的眼光在偷看他，使他得意非凡，男女情事，能夠公開，眞是幸福，他此時幸福滿滿。

只是，如果寶麗姐堅持立刻開墾下一個山谷，將如何是好？爲了新闢的墓園已經使他財務吃緊，哪裡能夠在荒山裡緊跟著再開闢農莊？也許他應當開始到山下找房子，至少先搬個家再說吧。

嚴塵於是看了一個星期的房子，看中一間兩個臥室的公寓，和一棟獨門獨院的房子，當即也要帶寶麗姐去看，作最後決定。寶麗姐聽了，一點也不開心，『這麼一來，住進農莊是不是就變成一種夢想？你因此可以無限期的拖、拖、拖！』

沒有想到這麼快就聽寶麗姐說出此等話來。嚴塵僅應道，『開墾出一個農莊需要時間準備，跟妳走進廚房燒一頓飯不同。』

『是不同啊，所以絕對不能失望，一失望起來一定心如刀割。』寶麗姐說得振振有詞，『你不會讓我失望吧？我現在心裡面只有一幅農莊式避暑旅館的圖畫，那座農莊可以很小、很小，甚至於只有幾個房間，這樣不算過分吧？我的胃口很小的，不算過分吧？你不好讓我感到毫無前途吧？而且，眞的只要很小就可以，只要開始動工就可以……』

嚴塵實在煩惱，他突然明白，從前他母親一定對他父親有過許多要求，而那些要求都是他父親辦不到的。他從墓園極目望去，遠處層層山巒，深山裡傳過來匍匐顫動的聲音，是寶麗姐和她年輕的男人，在裡面伐木和耕種……他實在煩惱。還好祠堂在假期後完工，寶麗姐雖然鬧著彆扭，對原定的工作卻毫不懈怠，在寒風裡一刻不停的監督工人植樹、鋪草皮，以配合完工的祠堂。祠堂前面的墳場已經開始動土，兩座新墳蹲伏在開始飄著細雪的荒谷中，顯得孤零零的，嚴塵希望這片墳場早日繁榮起來，但這樣的願望，卻顯得荒謬。

新年過後，兩人去牙買加度假，加勒比海的和風把原本緊張的關係吹緩下來。然而度假回來，眼看婚期臨近，寶麗妲卻說：『我要把婚期延後，延到夏天吧，實在太忙了，根本來不及準備。』

『可是，請帖已經發出去了。』嚴塵小心的應，心裡卻十分震動，隱隱感到不祥。

『有什麼關係？反正都是親戚朋友，打個電話通知一下就是。』寶麗妲說道，『婚期本來就應該由女方決定才合適。』

『這樣太兒戲了！』嚴塵忍不住生氣，『婚期是我們兩個人都同意的。』

寶麗妲瞄他一眼，『我當時太天眞了，一心只想遷就你，那樣是不對的，我應當首先考慮到實際問題。』

嚴塵聽得黯然，一言不發的轉身到衣架前穿上大衣、圍巾，戴上他的鴨舌帽、手套，朝大門走去。寶麗姐在後面喊，『天黑了爲什麼還要出去？能不能請你不要出去？』

嚴塵頭沒有回，應，『妳要不要一起出去走走？』

寶麗姐叫起來，『毫無誠意！一邊往外走，一邊問我要不要一起去，你有等人的意思嗎？』

『妳要去我就等妳呀。』嚴塵面對大門停下來，『要不要去？』

寶麗姐沒有出聲，嚴塵這才回頭，見寶麗姐站在客廳裡怒瞪他，眼裡慢慢流出淚來。

嚴塵一下猶豫，還是狠下心站在原地，再問一次，『要不要去？』

『哇！』寶麗姐放聲大哭，順手拎過一隻煙灰碟摔向地上，嚴塵看完，又轉過身開門，聽見背後寶麗姐蹬蹬跳腳，滿屋子開燈。

28

嚴塵準時到達會場，受邀的中外記者已經到齊，還有一屋子好奇的群衆圍觀。等詹先生帶著他兒子出現在門口，嚴塵立刻帶頭站起來鼓掌歡迎，『這才是今天眞正的主角！』嚴塵大聲說完，會場跟著安靜下來，『湯姆．詹在去年暑假換心手術成功。湯姆，我眞心實意的恭喜你。』嚴塵跟略顯緊張的大男孩握手，下面再度響起掌聲。『今天請湯姆來這裡，是要藉湯姆揭露一件可怕的事實，這件殘酷的事實，比一個母親謀殺她的親生兒女還要令人震驚，因爲每一個年輕健康的人，都可能是受害者。』人群裡又嗡嗡騷動起來，『我要強調，這不是湯姆的錯，不是湯姆父母的錯，是我們的社會裡藏有致命的毒蛇。』說到這裡，嚴塵指向人群中一個十五歲的男孩，『孩子，你過來。』男孩向台上走來，『我也做過父親，現在，一個父親每天要告誡你的，不是做人的道理，不是做事的方法，我要一遍又一遍告訴你的是，出門要小心，不要跟陌生人說話，不要靠近陌生人，如果有陌生人過來告訴你，他的車子不能發動，請你過去幫忙推車，千萬不可過去啊，他只要朝你身上注射一針，你就被他拖進汽車裡了。千萬不可以相信陌生人啊。我們的社會裡，有人在犯一種罪，在犯一種拐騙年輕人後殺害他們，做器官移植用的罪。』

人群裡嘩聲四起，『不可能！醫院不會買來路不明的內臟……不可能！』紛紛質問嚴塵。『詹先生！』嚴塵大聲喊，壓住群衆的聲音，『請你告訴大家，換一副心臟多少錢？肝臟多少錢？腎臟多少錢？腸胃多少錢？大腦多少錢？眼角膜多少錢？這比毒品的利潤高吧？各位，這不是我的幻想！』他血脈僨張，『我相信醫學界很快就可以像種樹樣的種出植物人來，當我們需要心臟的時候，立刻由植物人割下心臟，需要腎臟，立刻由植物人割下腎臟，再也不必靠謀殺提供器官。讓我們一起期望那一天早日來臨。

『我的女兒在十四年前失蹤了，沒有屍體，因爲沒有死，她隱伏在某些人的身體裡面，她分散自己活在一個人？兩個人？三個人？四個人的身體裡面，沒有死。這不是我的幻想，各位，請不要離開！

『各位！我現在心平氣和，我的腦海澄淨透明如夏日的晴空，如初春的清泉，我正在對你們訴說理性思考過的不爭的事實，不是我個人的幻想，各位、各位……』嚴塵望著離去的人群，扭頭問詹先生，『怎麼一下都走光了？』

『小老弟，你說得太多了，』詹先生心熱的搖頭，『本來人家要相信你的，但是你說得太多了。』

『唔──』嚴塵沉吟一會，抬頭說，『走，我們出去喝咖啡。今天需要喝香檳慶祝，眞是痛快。湯姆，』嚴塵用力拍大男孩的肩，『你今天表現超級好，叔叔要送你一個禮物，上次你爸爸買的墳地上，叔叔要免費安裝一對太空英雄的雕像，你要什麼樣的太空英雄？』

男孩微笑聳肩。三個人朝外面的大街走去。

『那對太空英雄要用很亮、亮得像刀面的白鐵皮跟紅銅搭配，要不要加一圈黑色烤漆？』

湯姆一逕微笑，沒有回答。

下午，寶麗姐依舊把車子開到服務台，接嚴塵回家，還不到五點，山谷已經昏暗下來，一團一團濕霧擁擠其間，寒風繞過枯枝，在墓園裡穿梭，三隻烏鴉縮著頭並排在一座新墳上，目送嚴塵上車。車子轉進枯樹林，兩人一直沉默著，嚴塵原來有一肚子話要告訴寶麗妲，沒有立時說出口，卻發現寶麗妲反常的沉默，也就跟著沉靜下來，直到家門口，臨下車才問，『今天上班好不好？』

『好啊，』寶麗妲的口氣酸得滴得出水來，『聽好多人說你想女兒想瘋了，在大庭廣衆下失態，明天就要上報呢，我們這裡的電視台，說不定已經當頭條新聞廣播出去了，會很轟動呢。』

嚴塵默默的上石階，推門讓寶麗妲先行進屋，自己隨後正要跟進，忽回頭，見薇琪由小路盡頭直奔而來，『Vicky！』忍不住大聲喊，見薇琪飛奔到眼前，驟然煙消雲散。嚴塵回頭見寶麗妲詫異的瞪圓眼睛在看他，微窘的支吾著說，『老眼昏花了，還以爲有人在冷風裡，大概是山裡面有野鹿跑過。』

寶麗妲沉著臉朝裡面走去，未置一詞。

嚴塵在走廊裡褪下大衣，到衣架上掛好，他察覺寶麗妲沒有像平日般，脫下大衣即去廚房裡燒飯。他這時已經有點餓，腸胃最是不能寵，定時吃了寶麗妲三個月晚飯，就把他幾年間培養的混亂的飲食習慣整個打翻了，他現在一近六點，便飢腸轆轆。可是，他不好意思立刻催寶麗妲燒飯，不知爲什麼，也不好意思立刻到廚房探看，只好在客廳裡倒出半杯威士忌，坐在窗前的長沙發上慢慢喝盡，眼前他的世界，於是歡愉起來。

寶麗妲靴子也不脫，在臥室裡大聲走動，好像正在翻箱倒櫃的搬動重物，莫非正在拆屋頂？拆牆？年輕人什麼事幹不出來？他不能不防。想到這裡，他唬的一聲放下空杯站起來。臥室門大敞著，原來寶麗妲並不在乎被他瞧見。他看見寶麗妲的兩只皮箱張開大口蹲在地上，寶麗妲正在一件一件把衣服丟進皮箱裡，『喂，那不是我的內衣嗎？』嚴塵趁著一點酒興嚷，『我也要跟妳一起去嗎？爲什麼把我的內衣也帶走？』

『誰說這是你的內衣？看清楚點！』

寶麗妲說著把一件雪白汗衫丟到他臉上。嚴塵這才想起來，寶麗妲一向穿男人汗衫睡覺。

嚴塵把手裡的汗衫摺疊好了，替她放進皮箱裡，一邊問，『明天早上走不好嗎？何必趕著搬？』

『我要先去我大姐家住幾天，白天他們家裡沒有人。』寶麗姐不動聲色的應，手裡不停工作。

嚴塵酒意全消，默默看寶麗姐把兩只皮箱闔上。『我送妳去。』終於說。

『那你怎麼回來？太麻煩了。』

『我自然有辦法回來。』嚴塵說著，一手一只皮箱拎起來，朝外屋走去。

『你把東西替我裝進車裡就可以了。』寶麗姐跟在後面說。

嚴塵逕自把皮箱提到外面，在車裡安置好，寶麗姐已穿好大衣，把一些零碎東西陸續搬進車裡，一邊催嚴塵進屋裡把大衣穿上，嚴塵依言回屋裡，這才感到凍得渾身直哆嗦。他穿上大衣到屋外，見寶麗姐已經坐在駕駛座上發動車子，嚴塵過去，試拉一下後座車門，上鎖了。寶麗姐搖下車窗，『我還是自己去好了。』

『怕不怕一個人在這一帶開車？我陪妳走一段吧；』

外面已整個暗下來了，如果不熟悉山路，實在很難開出這片山谷。車子慢慢向前滑行，滑進漸深漸濃的霧氣裡，幾乎不見前路。嚴塵跟在旁邊，『冷不冷？』寶麗姐問，搖上車窗，只留下一條縫。

『不冷。』嚴塵大聲說完，拉起大衣領，他發覺有雪花落在頭臉上。車子漸漸駛出樹林，月光微明，映見雪花一片，幾乎被墓園裡的霧氣吞沒。

嚴塵忽聽寶麗姐說，『你回去吧，我走了。』一踩油門，向下坡停車場急駛而去。嚴塵惆悵的目送車子駛遠，雪花紛飛，一下就不見車影了。

29

屋裡乾爽而溫暖，寶麗姐搬家沒有弄亂什麼，從前阿蓮搬家也沒有弄亂什麼，水雲更是說來即來，說走即走，不帶走一片雲彩。她們都沒有弄亂什麼。嚴塵把脫下的大衣小心掛回去，看到肩上身上皆佈滿雪花，又小心拿下來，抱進浴室。在鏡裡照見自己滿頭堆著白雪，倒像一下老掉幾十年似的，卻懶怠擦拭，只對著浴缸甩下頭，又在上面用力拍打大衣，落下的雪花不多，多半溶進大衣呢料的質地裡了。他抱著潮濕的大衣到走廊上，重新掛回去，如此，等到明天早上穿的時候，就會跟屋裡的空氣一樣，乾爽而溫暖。

他又要開始籌措今夜的晚飯了，於是到廚房裡拉開冰箱，裡面滿滿塞著一盒一盒剩菜，寶麗姐也跟阿蓮一樣，剩菜不捨得立時丟掉，總要把它們用塑膠袋包裝好，放進冰箱裡貯藏一個星期後，眼看實在不新鮮了，才放心的丟棄。所以，割捨物，也跟割捨人一樣，不是一時三刻下得了手的。

嚴塵現在的工作，是要分辨，哪些剩菜是新的？哪些是舊的？這不會太難。等過兩天，寶麗妲一冰箱剩菜，將被嚴塵新買來的食品淘汰掉，那時候，因爲寶麗妲的離開而帶給他的創傷，也將跟著輕微許多。

他發覺自己其實毫無食慾，只是一顆心沉沉往下墜著、拉扯著，實在疼痛。他不相信是心理引起的，寶麗妲可以走啊，他老早就看見寶麗妲有一天會離開，寶麗妲只是如他預想的離開了，他不應當受不了哇。他走向主臥房，站在門口呆望一會，還是轉進他的單身臥室裡，和衣躺下，啊，他的心竟像要脫落般的大痛起來，使他不禁對著屋頂哀嚎，終至痛哭失聲，哭得筋疲力竭，這才淸醒過來，赫的坐起，疼痛頓時消失。心裡一逕詫異，怎麼把自己弄成這副慘況？

他到浴室放水冲頭臉，對著鏡子用毛巾來回擦著，發現髮根竟露出一截白髮，他一向很小心的，怎麼竟有白髮露出來？是剛才幾分鐘裡冒出來的嗎？眞是傷肝傷肺。

他回到廚房裡，把冰箱的剩菜悉數掏淨倒掉，自己另外煮兩條德國香腸，開一個紅捲心菜罐頭，解決晚飯問題。然後回到客廳，坐在窗前默默抽煙，他猜寶麗妲不會回來了，回來必在春暖花開之後，為一紙身分問題，從此，她的婚姻欄上不再空白。眞是罪過。其實，這段情債，自始至終都是寶麗妲在操控，寶麗妲具十足決定權，可是看起來無辜的，居然還是寶麗妲。他已經想好了，如果寶麗妲回來要那兩座山，他樂意奉上，他眞心欣賞寶麗妲那套構想，寶麗妲是不是他的妻，已不重要。他多半還會遇見使他心動的女人，他從不刻意追求，可是他知道只要他的心不死，總還有機會，而那絕不比薇琪回家的機會小。

他又點上一根煙，順手拿過小桌上一隻金套子，跟著把煙銜在嘴裡，慢條斯理把廉價打火機裝進金套子裡。這隻純金打造的套子，是阿蓮的小店開張後，第一個月結帳下來，送給嚴塵的禮物。那時候他們還經常在週末，相偕去中國城購物，後來，阿蓮不再吃零嘴，他們才漸漸去得少了。那天，在巷子裡停好車，經過一家金舖，阿蓮停下腳，朝櫥窗裡張望後，回頭對嚴塵說，『從前的人，手上有錢就要買金子存起來，那個調調我很喜歡，走，我們進去買塊金幣做紀念。』

嚴塵跟在阿蓮後面進金舖，阿蓮買了一塊非洲金幣，忽然問櫃台後面的廣東人，『可不可以訂做東西？我自己設計，你們替我做，可不可以？』

阿蓮要過嚴塵的打火機，跟廣東人嘀咕半天，終於談妥。這副薄薄的黃金套子，阿蓮兩百元訂造的，那時候黃金正從八百元一盎斯一路下跌至五百元，阿蓮認爲是買黃金最好的時機，金價只會漲，不會再跌了。而如今的金價是四百元一盎斯，也跟房地產一樣，一路跌過來。就連從前辛苦存錢給阿蓮買的養珠飾物，當時那般物以稀爲貴，現在卻不時見它們被五折、六折大賤賣著。一切是如此不牢靠，沒有什麼是可信賴的，眞的沒有什麼。

嚴塵用指尖感覺黃金的質地上，輕微細緻起伏的波紋，水雲第一次見到這副精工打造的薄金套子，曾經仔細端詳好久，說，『這很像古希臘的有錢人給死者打造的黃金面具，看得見五官的，大約在公元前一千兩百年。』水雲很得意說得出年代。

金套子裡面的廉價打火機即棄式，用完即丟，不斷更新，惟金套子長存，的確很像死者的面具，也只有水雲想得出來。嚴塵不禁笑了。

他這天睡得較往日早，睡夢裡老是聽到窗外枝椏間，烏鴉呱呱聒噪著，還有較遠處深山裡的黑鷹，拖長尾音的嘶嚎，在這寒夜的山林裡呼吸著的，除了無聲息的植物，僅剩下他和鳥們。他懷疑自己當眞在睡夢裡？或者淸醒著？這幾年，也許因爲生理變化，他常睡不安穩，以致睡和醒間，竟難分難辨。窗外大概天亮了吧，可是他眼皮仍然澀重，今天他想要多躺一會，往常，他總要逼迫自己趕在員工之前到達墓園，不論天熱天冷，不論他前一夜有沒有睡好覺，他一定要趕在員工之前上班，爲了一點不信賴，爲了表現一種精神，精神？他在心裡喟嘆。

這兩天，他剛從一本雜誌上，讀到了一篇介紹文字，談那個今年二十八歲，天生的畫鳥家Anthony Henneberg，生長於農莊，五歲開始畫鳥，八歲賣出第一幅畫，收購者爲其叔父，然而，一次之後，周圍的人開始跟他買畫，十三歲時已賣出多幅畫作，他的畫面，除主體物件外，背景空白，具東方畫風。畫家說，『鳥完全跟隨牠們的直覺而活，當直覺告訴牠們，現在該當生殖，牠們就生殖；現在是離開的時候，牠們就離開。眞是無辜極了！可是，如果我們也可以如此這般地活著，豈不是很好嗎？』是啊，想起來實在不壞，他眞羨慕畫家，年紀輕輕便已洞悉生命的本質。

外面必定天亮了，但是他放心的沉沉睡去，一覺醒來已近午時分，他感到未曾有過的舒暢。匆匆漱洗完畢後，即穿戴大衣圍巾鴨舌帽手套，朝墓園走去。

天空無落雪，惟太陽溫柔映照山谷，小路上堆著吋許積雪，卻見陽光因一點冷風吹颳枯枝，而在林間上上下下圈圈點點跳動著。

墓園裡傳過來剷雪車推動的聲音，必定是阿林他們在剷雪，而菲力浦必定已燒好大壺咖啡在等待他。寒風裡斷續飄來牧師誦經的聲音，嚴塵迎過去，向他們迎過去，向那點微弱的聲音迎過去，上帝是我們的主宰、上帝是我們的主宰。

（六月三日一九九五年完稿。）

國立中央圖書館出版品預行編目資料

上帝是我們的主宰／陳漱意著．--初版．--臺北市：皇冠，民85
面；　公分．--（皇冠叢書；第2576種）（皇冠小說；1）
ISBN 957-33-1278-6（平裝）

857.7　　84013420

皇冠 CROWN <註册商標第173155號>

皇冠叢書第二五七六種
皇冠小說1

上帝是我們的主宰

作　者—陳漱意
發行人—平鑫濤
出版發行—皇冠文學出版有限公司
台北市敦化北路一二〇巷五〇號
電話◉七一六八八八八
郵撥帳號◉一五二六一五一—六號
登記證—局版臺業字第五〇一三號
編務經理—方麗婉
印務副理—鄭淑芳
編務副理—朱亞君
責任編輯—朱亞君
美術主編—吳慧雯
美術編輯—吳慧雯
校　對—陳漱意・邱淑梅
印刷者—耘橋彩色印刷公司
台北縣新店市寶興路45巷6弄5號
電話◉九一七五八三〇
著作完成日期—一九九五年（民84）六月三十日
初版出版日期—一九九六年（民85）一月一日
◉法律顧問—蕭雄淋律師・王惠光律師

國際書碼◉ISBN 957-33-1278-6
Printed in Taiwan
本書定價◉新台幣150元